Lezen voor Iedereen / Uitgeverij Eenvoudig Communiceren
www.lezenvooriedereen.be
www.eenvoudigcommuniceren.nl

Bij *Dubbelliefde* is een docentenhandleiding verkrijgbaar. Deze kunt u downloaden
van www.eenvoudigcommuniceren.nl en www.lezenvooriedereen.be.

Kijk voor informatie over het thema van *Dubbelliefde* op www.discriminatie.nl of
www.diversiteit.be.

Tekst: Marian Hoefnagel
Redactie en opmaak: Eenvoudig Communiceren
Illustraties: Roelof van der Schans
Druk: Easy-to-Read Publications

ISBN 978 90 8696 115 3
NUR 286

MARIAN HOEFNAGEL

DUBBELLIEFDE

Lezen voor Iedereen / Uitgeverij Eenvoudig Communiceren

Voorwoord

Dit is een bijzonder boek in de *Reality Reeks*.
Want het speelt niet in Nederland, maar in
Suriname. Voor Nederlandse lezers moeten
daarom een paar dingen uitgelegd worden.

1. In Suriname wonen veel verschillende
mensen: indianen, creolen, Hindoestanen,
Javanen, Chinezen, Joden, Europeanen
(Nederlanders). Al die mensen hebben hun
eigen godsdienst, hun eigen gewoontes, hun
eigen cultuur. Dat maakt Suriname erg leuk,
maar ook erg ingewikkeld.
Gelukkig spreken al die verschillende mensen
wel dezelfde taal: Nederlands. Dat komt
doordat Suriname vroeger bij Nederland
hoorde. Sinds 1975 is dat niet meer zo en is
Suriname een zelfstandig land.

2. Suriname is een heel groot land. Het grootste
deel van Suriname bestaat uit oerwoud; dat
wordt het 'binnenland' genoemd.
De hoofdstad van Suriname is Paramaribo.

Daar woont meer dan de helft van de bevolking.

3. Surinaamse ouders zijn veel strenger voor hun kinderen dan Nederlandse ouders. Surinaamse kinderen zijn ook gehoorzamer dan Nederlandse kinderen en zij zeggen meestal 'u' tegen hun ouders.

De hoofdpersonen van *Dubbelliefde* zijn:

Kenneth (16 jaar)
Hij is een mooie, donkere jongen en 'van alles wat': creools, Chinees, indiaans en Europees. Kenneth is een vrolijke jongen die het leven makkelijk neemt. Hij werkt niet hard op school, hij heeft geen baantje. Hij hangt een beetje rond en zit achter de meisjes aan.

Iwan (15 jaar)
Hij is een Hindoestaanse jongen, die erg serieus is. Hij doet zijn best op school en heeft twee baantjes: 's middags helpt hij zijn oom en 's avonds werkt hij in de winkel van zijn ouders.

Elise (14 jaar)
Zij is een meisje met een Nederlandse vader
en een Surinaamse moeder. Elise heeft altijd
in Nederland gewoond en is kort geleden naar
Suriname verhuisd.
Haar vader en moeder kennen Suriname goed;
zij hebben er in hun jeugd gewoond.
Elise weet niets van Suriname; zij moet alles nog
ontdekken.

Elises oma
Zij is al vijftien jaar dood, maar speelt toch een
belangrijke rol in het verhaal.

Sommige woorden in dit
verhaal zijn <u>onderstreept</u>.
Op pagina 141 worden
deze woorden uitgelegd.

Kenneth en Iwan

'Hé, kijk', zegt Kenneth. 'Check dat uit, man.'
Kenneth knikt met zijn hoofd naar een groepje meisjes.
Ze staan aan de overkant van de straat en wachten voor het stoplicht.
Ze komen net uit school; dat zie je zo.
Ze hebben allemaal een <u>schooluniform</u> aan; een blauwe spijkerbroek en een blauwe bloes.
Het stoplicht springt op groen en de meisjes steken over.
Pratend en lachend komen ze steeds dichterbij.

'Wie wou je uitchecken?', vraagt Iwan.
'Toch niet mijn zus, hè? Want die is er ook bij.'
'Echt?', vraagt Kenneth. 'Is die kleine Mila één van die lekkere chickies?'
Iwan wil kwaad worden.
Maar dan geeft Kenneth hem gauw een klap op zijn schouder.
'Relax, man', zegt hij. 'Met jouw zus begin ik niks. Maak je geen zorgen.'

De meisjes lopen nu vlak bij de twee jongens.
'Dag ladies', roept Kenneth vrolijk. 'Wat zien jullie er weer sexy uit vandaag.'
De meisjes kijken naar Kenneth en lachen naar hem.
'Dan moet je ons vanavond eens zien', zegt één van de meisjes. 'Als we die saaie schoolkleren niet aanhebben, maar onze minirokjes.'
'O?', vraagt Kenneth. 'Waar zijn jullie dan vanavond? Weer op een feestje?'
De meisjes schudden lachend hun hoofd.
'Probeer ons maar te vinden', roepen ze. 'Paramaribo is niet zo groot. Als je een beetje je best doet, vind je ons wel.'
Dan zijn ze voorbij.

Kenneth grijnst naar Iwan.
'Jij kunt mooi uitzoeken waar die meiden vanavond heengaan', zegt hij.
'Je vraagt het gewoon aan je zus. En dan gaan wij daar ook naartoe.'
Iwan schudt zijn hoofd.
'Ik ga nergens naartoe vanavond', zegt hij.
'Ik moet helpen in de winkel.'

Kenneth en Iwan

'Ik ga naar huis', zegt Iwan tegen Kenneth.
'Blijf nog even, man', zegt Kenneth. 'Er komen
nog veel meer meisjes langs. Het is nog vroeg.'
Iwan moet lachen.
Ja, dat antwoord had hij kunnen verwachten.

Kenneth vindt dit altijd het mooiste moment van
de dag.
Gauw uit school naar de hoek van de
Domineestraat.
En dan voor hotel Krasnapolsky gaan staan.
Kijken naar de auto's die voorbijrijden.
Kijken naar de meisjes die voorbijlopen.
Kletsen met een paar vrienden.

Iwan schudt even zijn hoofd.
'Ik moet echt nog veel doen', zegt hij.
'Wat dan?', vraagt Kenneth.
Iwan steekt een vinger op: 'Vanmiddag moet ik
mijn oom helpen', zegt hij.
Hij steekt nog een vinger op: 'Vanavond moet ik
in de winkel helpen.'

En er komt nog een derde vinger bij: 'Ik heb nog niets aan mijn boekverslag gedaan.'

Kenneth zucht.
'Jij geniet niet van het leven', vindt hij. 'Jij bent alleen maar aan het werk. Daar krijg je spijt van.'
Iwan haalt zijn schouders op.
Hij wil net iets terugzeggen, maar dan springt Kenneth ineens de straat op.
Hij holt naar een rode sportauto die voor het stoplicht moet wachten.
Er komt harde muziek uit de open raampjes.

'Hé, matti van me', roept hij tegen de jongen in de rode auto.
De jongen kijkt verbaasd naar Kenneth.
'Gave muziek komt er uit die rode kar van jou', zegt Kenneth.
De jongen grijnst.
'Kan ik een stukje met je meerijden?', vraagt Kenneth. 'Dit is mijn lievelingsnummer.'
Kenneth doet de deur van de rode auto alvast open.
Dan springt het stoplicht op groen.

Snel stapt Kenneth in.
'Net op tijd', lacht hij tegen de jongen.
De rode sportauto rijdt meteen hard weg.

Iwan

Iwan kijkt de auto na.
Kenneth zwaait nog naar hem, vanuit het open
raampje. Dan gaat de auto de hoek om.

Iwan moet lachen.
Die Kenneth! Hij weet precies hoe hij zijn zin
moet krijgen.
Hij kent de leukste meisjes.
Hij gaat om met de coolste jongens.
Iedereen vindt hem tof. En dat is hij ook wel.
Kenneth is altijd vrolijk. Kenneth heeft altijd wel
een leuk plan.
Met Kenneth verveel je je geen moment.

Iwan schudt zijn hoofd en loopt weg.
Hij kijkt naar zichzelf in de ramen van het hotel.
Een gewone jongen loopt daar.
Een gewone jongen van 15.
Niet groot, niet klein, niet dik, niet dun.
Bruine huid, steil zwart haar, bruine ogen.
Gewoon is hij, heel erg gewoon.
Heel anders dan Kenneth.

Kenneth is echt een mooie donkere jongen,
met een lang, slank lijf.
Hij ziet er ook altijd goed uit in zijn dure kleren.
Broeken van G-star, shirts van Calvin Klein,
schoenen van Nike.
Iwan begrijpt niet hoe Kenneth dat allemaal
betaalt.
Hij heeft niet eens een baantje!
Nou ja, misschien krijgt hij veel zakgeld; dat zou
kunnen.

Iwan krijgt geen zakgeld van zijn ouders.
'Geld krijg je niet, dat moet je verdienen',
zegt zijn vader altijd.
Daarom heeft Iwan ook twee baantjes.
Iedere middag helpt hij zijn oom, die klokken en
sieraden repareert.
En iedere avond helpt hij in de winkel van zijn
ouders.

Iwan

Iwan stapt in het busje met nummer vier erop.
Mooi, de bus is bijna vol.
Als alle plaatsen bezet zijn, gaat de bus weg.
Niet eerder.
'Hé, Iwan', klinkt het vrolijk van achteren.
Iwan draait zich om en grijnst naar Mila,
zijn zus.
'Hi', zegt hij.
Het meisje naast Mila lacht tegen hem.
'Hi', zegt zij ook.
Dan stappen er nog drie mensen in.
Het busje is vol en rijdt weg.

Iwan kijkt nog eens achterom, naar zijn zus en
het meisje naast haar.
Hij heeft dat meisje nog nooit gezien.
Ze is best mooi.
Rommelig blond haar, lichtbruine huid, blauwe
ogen.

Op de Anton Dragtenweg vraagt het meisje of de
chauffeur wil stoppen.

Ze stapt uit, bij een groot wit huis.
'Dag Mila', zegt ze tegen Iwans zus.
Tegen Iwan glimlacht ze even.
Dan rijdt het busje weer verder.

Twintig minuten later stappen Iwan en Mila ook
uit. Niet voor een groot wit huis, maar bij een
smal zandpad.
Met hun tassen over hun schouder lopen ze
samen het zandpad af.
Links en rechts staan kleine houten huisjes
tussen groene bomen.
Hoge mahonybomen, brede palmbomen, rode
flamboyantbomen.
Voor de huisjes zitten mannen te roken.

'Wie was dat meisje?', vraagt Iwan aan zijn zus.
Mila weet meteen wie Iwan bedoelt.
'Elise', zegt ze. 'Ze zit nog maar kort in mijn
klas.'
'Ik heb haar nog nooit gezien', zegt Iwan.
Mila schudt haar hoofd. 'Dat kan wel', zegt ze.
'Elise is steeds door haar vader naar school
gebracht. En opgehaald. Met een dure auto, <u>boi</u>!'

Iwan

'Hé, Iwan', klinkt het uit een van de tuinen.
Iwan en Mila kijken op.
Een man met een grijze baard steekt zijn hand
op.
'Kom je me nog helpen?', vraagt hij.
'Ja hoor', antwoordt Iwan. 'Eerst even wat eten en
dan kom ik eraan.'
De man met de baard knikt.
'Goed', zegt hij. 'Ik heb een bijzondere klok
gekregen. Een oude Hollandse. Die moeten we
repareren.'
'O, leuk', vindt Iwan. 'Ik kom gauw, hoor. Tot zo!'

'Ik begrijp niet wat je eraan vindt', zegt Mila
tegen haar broer.
'Ik zou liever auto's repareren. Of computers.
Al die suffe radertjes en schroefjes van zo'n klok,
bah.'
Iwan lacht.
'Klokken zijn leuk omdat ze eenvoudig zijn',
zegt hij. 'Ik begrijp precies hoe een klok werkt.
Een gewone klok, dan.

Van een digitale klok begrijp ik ook niks.
Dat is allemaal elektronica. Net als auto's en
computers.'

Even lopen ze zwijgend verder.
'Ga jij vanavond nog weg?', vraagt Iwan dan.
Mila knikt.
'We hebben met de hele klas afgesproken',
zegt ze. 'Bij Peggy thuis. Je kunt wel mee; we
mogen allemaal iemand uitnodigen.
Maar dan moet je wel iets meenemen: cola,
pinda's, bananenchips, zoiets.'
'Nee', zegt Iwan. 'Ik moet vanavond in de winkel
helpen, toch.'
'O ja', knikt Mila.
Ze glimlacht even naar haar broer.
'Elise komt ook', zegt ze dan.

Ineens vindt Iwan het jammer dat hij niet mee
kan.

Elise

Elise komt thuis; ze duwt het zware ijzeren hek
open.
Meteen komen er twee honden op haar af
rennen.
Ze blaffen hard.
'Ha ouwe blaffers', zegt Elise.
Ze aait de honden over hun kop; het blaffen
houdt meteen op.
De honden lopen achter haar aan naar het huis
toe.

'Elise, ben je er al?', klinkt een stem vanaf het
balkon.
Elise kijkt omhoog. Daar staat haar moeder te
zwaaien.
Haar moeder is een mooie vrouw en echt
Surinaams. Heel erg Surinaams.
In Nederland was ze veel minder Surinaams,
denkt Elise. Raar is dat.
Ze kijkt naar de dure kleren van haar moeder.
Ze heeft een prachtige blauwe jurk aan en
blauwe schoenen met hoge hakken.

Ze lijkt de koningin wel, denkt Elise.
De koningin voor haar paleis.

'Hoe was het op school?', vraagt haar moeder.
'Ja, wel leuk', antwoordt Elise. 'Ook lekker om zo
vroeg vrij te zijn. Ik heb nu de hele middag nog.
In Nederland was ik vaak tot vier uur op school.
Of nog later.'

Elise loopt de witte trap op, naar het balkon.
Haar moeder slaat haar armen om Elise heen en
geeft haar een kus.
'Gudu, je moet toch echt iets aan je haar doen',
vindt haar moeder. 'In Nederland kan dat
wel, dat losse, rommelige haar. Maar hier in
Suriname niet.'

Elise zucht. Haar moeder zegt dat bijna elke dag.
Of twee keer per dag. Of drie keer.
Haar moeder gaat vaak naar de kapper. Haar
haar zit altijd prachtig.
Maar Elise houdt niet van keurige kapsels.
'Het past niet bij me', zegt ze steeds tegen haar
moeder.

Haar moeder is het daar niet mee eens.
'Je bent half-Surinaams', vindt haar moeder.
'Gedraag je dan ook half-Surinaams.'

'Dat doe ik', zegt Elise lachend.
'Ik ga vanavond naar een feestje van een meisje uit mijn klas. We moeten allemaal iets meenemen om te eten of te drinken. Grappig, toch? Dat deden we nooit in Nederland.'

Kenneth

Het is warm op straat.
Kenneth veegt het zweet van zijn voorhoofd.
Hij zou wel even iets willen drinken uit de fles
cola die hij bij zich heeft.
Maar dat kan niet.
Die cola is voor het feestje bij Peggy.

Vanmiddag heeft Iwan een sms'je aan Kenneth
gestuurd.
Ze gaan naar Peggy Arnon, stond er. Zeven uur.
Neem iets mee.
Kenneth had het meteen begrepen.
Iwan is toch wel een toffe vriend, denkt Kenneth.

De meisjes van de Beatrixschool komen vaak op
vrijdagavond bij elkaar.
Soms omdat er iemand jarig is. Soms omdat ze
een mooi rapport hebben.
En heel vaak om niets. Zomaar. Omdat ze er zin
in hebben.
Dan kijken ze met elkaar naar een film.
Of ze doen spelletjes. Of ze gaan dansen.

Op de dansfeestjes komen meestal ook jongens.
Sommige meisjes nemen dan hun broer mee.
Of hun neef.
Of ze vragen jongens die ze kennen van school.
Zoals Kenneth.

Kenneth grinnikt even.
Eigenlijk hebben de meisjes hem helemaal niet
gevraagd.
Hij heeft gewoon zichzelf uitgenodigd.
Haha. Het wordt vast een leuke avond.

Vrolijk loopt Kenneth langs de Palmentuin,
naar het huis van Peggy.
Hij ziet meteen bij welk huis hij moet zijn.
In de tuin hangen gekleurde lampjes tussen de
bomen.
En onder de bomen staat een groepje meisjes
met elkaar te praten.

Elise

Elise kijkt verbaasd naar de meisjes van haar klas.
Ze hebben zich allemaal echt opgetut.
Ze zien er heel anders uit dan op school.
Vooral hun haar zit prachtig. Met ingewikkelde vlechten en krullen.
'Hebben jullie de hele middag bij de kapper gezeten?', vraagt Elise.
De meisjes lachen en schudden hun hoofd.
'Het is allemaal vals haar', fluistert Mila in haar oor.
Elise kijkt haar met grote ogen aan.
'Echt?', vraagt ze.
De meisjes knikken lachend.
'Net als onze nagels', zegt Mila.
De meisjes laten allemaal hun handen zien.
Elise kan haar ogen niet geloven.
De een heeft lange zwarte nagels met een wit duifje erop.
Een ander heeft nagels met de Surinaamse vlag erop.
En een derde rode nagels met witte stippen.

Elise moet er erg om lachen.
Even denkt ze aan haar moeder.
Die zou dit allemaal prachtig vinden.

'Ladies, daar ben ik dan', klinkt een vrolijke
donkere stem.
De meisjes draaien zich om.
'Hé Kenneth', zegt Mila. 'Ben jij hier ook?'
'Dat heb ik jullie vanmiddag toch beloofd?',
zegt Kenneth.
De meisjes kijken elkaar even verbaasd aan.
Dan beginnen ze te lachen.
'Ja, dat is waar ook', zegt Mila. 'Heb je lang naar
ons gezocht?'
'Zeker wel', liegt Kenneth. 'Ik ben heel
Paramaribo door geweest.'

Mila wil net iets terugzeggen, maar dan zegt
Kenneth:
'Willen jullie iets van me drinken, ladies? Cola?'
Hij houdt de grote fles cola omhoog.
De meisjes knikken lachend.

Elise

Ze dansen op vrolijke Surinaamse muziek.
Vooral op de muziek van Naks Kaseko Loco.
Elise kende die muziek helemaal niet. Maar het
klinkt wel erg gezellig.
En het danst lekker.
Degene die het beste danst is Kenneth.
Zijn lange slanke lijf beweegt alle kanten op.

'Wie is hij?', vraagt Elise aan Mila.
Ze wijst naar Kenneth, maar Mila hoeft niet eens
te kijken.
'Kenneth', zegt ze.
'Ken je hem goed?', vraagt Elise verder.
Mila haalt haar schouders op.
'Mijn broer kent hem goed', zegt ze. 'Ze zitten bij
elkaar in de klas. En ze hangen samen een beetje
rond.'
'Hij is knap', vindt Elise.
Mila knikt. 'O ja', zegt ze. 'De knapste jongen van
Paramaribo.
Maar wel een jongen om voor op te passen.'
'O?', vraagt Elise verbaasd. 'Hoezo?'

Mila moet even lachen.

'Hij is een player, Elise, een echte', zegt ze.

'Maar ...' Mila staart in de verte. 'Maar alle meisjes vallen ook voor hem', zegt ze dan.

'Hij kan er eigenlijk niks aan doen.'

Elise begrijpt niet zo goed wat Mila bedoelt.

Maar ja, wat maakt het uit.

Als Kenneth elk meisje uit Paramaribo kan krijgen, zal hij echt niks met haar willen.

Elise kijkt een beetje jaloers naar de dansende meisjes.

Ze kunnen allemaal zo goed dansen.

Veel en veel beter dan zij.

Elise voelt zich een stijve hark hier.

In Nederland had ze dat nooit.

Kenneth en Elise

'Hoe vind je het in Suriname?', vraagt Kenneth
aan Elise.
'Leuk', knikt Elise.
'Je woont hier nog maar kort, toch?', zegt hij.
'Ja', zegt Elise. 'Twee maanden.'
'Wat vind je van onze muziek?', vraagt Kenneth
verder.
'Hard', antwoordt Elise lachend.
'Aha, kom maar mee', zegt Kenneth.
Hij pakt Elise bij haar arm en neemt haar mee
naar buiten.
Naar de tuin met de lampjes in de bomen.

Kenneth gaat zitten op een houten bankje, onder
een boom.
'Kom naast me zitten', zegt hij. 'Dan kunnen we
even praten.'
Elise gaat naast de lange jongen zitten.
Haar hart bonkt in haar keel, zo zenuwachtig is
ze.
Hier zit ze dan samen met de aantrekkelijkste
jongen van Paramaribo.

Alle meisjes van haar klas vinden hem cool.
Een man van de wereld.
Een echte *catch*.
En die geweldige jongen heeft het laatste uur
alleen maar met háár geflirt.
Ze zag de jaloerse blikken van de andere meisjes
wel.
Kenneth kwam steeds bij haar met een drankje.
En met bananenchips. En met pinda's.
En nu zit ze dan naast hem, in het romantische
licht van de tuinlampjes.

Elise en Kenneth

Kenneth slaat zijn arm om haar schouders en
streelt haar wilde krullen.
'Mooi haar heb je', zegt hij.
Elise giechelt even.
'Dat zou mijn moeder moeten horen', zegt ze.
'Mijn moeder vindt het maar niks, dat losse haar.
Ze vindt dat ik het moet vlechten.
Omdat iedereen in Suriname dat doet.'
Kenneth knikt.
'Daarom moet jij het juist niet doen', vindt hij.

Hij trekt haar een beetje naar zich toe.
'Je bent het mooiste meisje van de avond',
fluistert hij in haar oor.
En jij de mooiste jongen, denkt Elise.
Maar dat zegt ze niet.

Voorzichtig kust Kenneth haar wang.
'En je ruikt zo lekker', fluistert hij verder.
'Je ruikt naar zee en wind.'
Weer kust hij haar wang, dichter bij haar mond
dan de eerste keer.

Elises hart gaat nu echt tekeer.
En in haar buik lijken wel honderd vlinders te vliegen.
Voorzichtig draait ze haar gezicht naar hem toe.
Meteen voelt ze Kenneths lippen op de hare.
Zijn handen strelen haar haar.
Dan gaat haar mond vanzelf een beetje open.

Kenneth aarzelt geen moment.
Voorzichtig duwt hij zijn tong in haar mond.
Elise doet haar ogen dicht.
Dit is het moment waarvan ze al zo lang droomt.
Haar eerste kus. Haar eerste echte kus.
Het lijkt wel alsof haar hele lijf slap wordt.
Alsof ze geen eigen wil meer heeft.

Elise

Elise ligt in bed.
Ze is moe van al het dansen, maar toch kan ze
niet slapen.
Ze draait naar links en dan weer naar rechts.
Maar slapen gaat niet.
Uiteindelijk staat ze op en doet ze de deuren naar
het balkon open.
Het is heerlijk op het balkon.
De maan schijnt op het water van de brede rivier.
Je hoort hier geen geluiden van verkeer.
Alleen de geluiden van de Surinaamse nacht.
Het zachte geklots van het water en het
geschreeuw van beesten.
Elise weet niet welke beesten ze hoort.
Krekels natuurlijk. Maar verder? Uilen,
papegaaien, apen?
Haar vader en moeder weten dat soort dingen
precies.
Zij zijn hier opgegroeid.
Haar vader in dit huis aan de rivier.
Haar moeder ergens in een dorpje buiten
Paramaribo.

Elise gaat op de vloer van het balkon zitten.
Ze leunt met haar hoofd tegen de muur van het
huis.
Ze had het helemaal niet leuk gevonden om naar
Suriname te gaan.
Ze was veel liever in Nederland gebleven.
Bij haar eigen vriendinnen, op haar eigen school
in Amsterdam.
'Wat moet ik daar nou?', had ze aan haar moeder
gevraagd. 'Ik ken daar niemand en ze vinden me
vast raar met mijn blonde haar. En het is er veel
te warm.'

Maar nu ze eenmaal in Suriname is, vindt ze het
er heerlijk.
Natuurlijk mist ze haar Nederlandse
vriendinnen.
Maar de meisjes uit haar nieuwe klas zijn
allemaal erg aardig voor haar.
En dan ... Kenneth.
Ze krijgt een blij gevoel als ze aan hem denkt.
En aan de kus die hij haar gegeven heeft.
Kenneth ... zou ze nu verkering met hem
hebben?

Als je zoent, dan heb je toch verkering?
In Nederland is dat meestal wel zo. Zou dat in
Suriname ook zo zijn? Of niet?

Langzaam vallen haar ogen dicht.
Even later slaapt ze, op het balkon in de
Surinaamse nacht.

Elise

'Ik ga de klok van opa ophalen. Ga je mee, Elise?'
Haar vader staat onderaan de trap.
Elise rent de trap af.
'Doe toch niet zo wild', zegt haar moeder.
'Je bent toch geen klein kind meer.'
Elise zegt niets terug.
Ze weet dat dat het beste is.
Haar moeder is nu eenmaal erg netjes. Netjes en
streng.
Zo was ze in Nederland al, maar hier in
Suriname is ze nog veel meer zo.

Elises vader rijdt met zijn auto de tuin uit en
rechtsaf de asfaltweg op.
'Hé', zegt Elise. 'Gaan we niet naar het centrum?'
Haar vader schudt zijn hoofd.
'Ik heb de klok bij een oude man gebracht,
in Blauwgrond', zegt hij.
'Hij moet een goede klokkenmaker zijn. Opa
bracht deze klok vroeger ook naar Blauwgrond,
als hij stuk was. Dat weet ik nog wel. Misschien
wel bij dezelfde klokkenmaker.'

Elise denkt even aan haar opa. De vader van haar vader.

Het prachtige witte huis aan de rivier was van hem.

Hij was vroeger een belangrijke man in Suriname. Hij kende iedereen in Paramaribo. Nu zit hij in een bejaardenhuis in Amsterdam. Alleen. Want oma is overleden. Lang geleden, vlak voordat Elise geboren werd.

We moeten opa hierheen halen, denkt Elise. Het huis is groot genoeg voor ons allemaal.

Dan draait de auto een zandpad op en stopt bij een klein houten huisje in een groene tuin.

'Hallo', roept Elises vader, terwijl hij uitstapt.

Meteen komt een hond blaffend naar hen toe.

Een oude man met een grijze baard komt achter de hond aan.

'Dag meneer', zegt de man.

Elise stapt ook uit.

'Ik kom eens kijken of mijn klok al klaar is', zegt Elises vader.

De man voelt even aan zijn baard en knikt langzaam.

'Hij is klaar', zegt hij dan. 'Maar nog niet gepoetst.'

'Gepoetst?', vraagt Elises vader verbaasd.

De oude man knikt weer.

'Er zit veel koper aan de klok', zegt hij. 'Dat moet gepoetst worden. Iwan is er nu mee bezig.'

De man wijst naar binnen.

Elise kijkt nieuwsgierig door de open deur.
Daar zit een jongen aan een grote tafel.

Elise

'Hé hallo, Elise', zegt de jongen.
Elise kijkt verbaasd naar hem.
'Je kent mij?', vraagt ze.
De jongen knikt. 'Ik ben de broer van Mila',
zegt hij. 'Iwan heet ik.'
Elise kijkt nog eens goed.
'Ja, nu zie ik het', zegt ze. 'Jij zat ook in de bus,
toch?'
Weer knikt Iwan.

'Kijk', zegt Elises vader. 'Daar is de klok van opa.'
Hij wijst naar de klok die voor Iwan op tafel ligt.
Het is een klok met een soort kast eromheen.
Een Friese staartklok.
'Het is een heel bijzondere klok', zegt Iwan.
'Een klok met een verrassing.'
'O?', vraagt Elise. 'Wat is dan de verrassing?'
Iwan houdt een ring omhoog. Een ring met een
steentje.
'Deze ring zat erin', zegt hij. 'Hij was stuk, maar
ik heb hem gemaakt.'
Hij legt de ring in Elises hand.

'Is hij van echt goud?', vraagt Elise.
'Ja', zegt de man met de baard. 'En er zit een
klein diamantje in. Het is een heel mooie ring.
Er staat ook een naam in geschreven. We konden
het niet goed lezen, maar we denken dat er voor
Elise staat.'

'O, dan is hij van mij', roept Elise blij. 'Mag ik
hem hebben, pap?'
De vader van Elise staat stil naar de ring te
kijken.
'Die ring was van oma', zegt hij zachtjes.
'Zij heette ook Elise. Elise Marie.'

Elise kijkt aan de binnenkant van de ring.
'Ja, er staat *Voor Elise*', zegt ze. 'Maar er staat nog
iets ...'
Ze draait de ring rond.
'Ik kan het niet goed zien', zegt ze. '*Varken* en
dan nog een paar letters.'
Ze moeten allemaal lachen.
'*Voor Elise varken*, dat zet je toch niet in een ring',
zegt Elise.

'Geef eens aan mij', zegt Elises vader.

Hij bekijkt de ring goed.

'Je hebt hem mooi gemaakt', zegt hij tegen Iwan.

'Dat was vast heel moeilijk.'

'Ik vond het leuk om te doen', zegt Iwan verlegen.

De man met de baard knikt.

'Ik ben zo blij met Iwan', zegt hij. 'Hij wordt een heel goede klokkenmaker én een heel goede goudsmid.'

Elise

'U kent die ring?', vraagt Elise aan haar vader.
Ze zitten weer samen in de auto.
Op de achterbank ligt de klok van opa.
De klok die al meer dan vijftig jaar in het huis
aan de rivier heeft gehangen.
Haar vader knikt langzaam.
'Vertel dan', zegt Elise. 'Ik ben heel nieuwsgierig,
pap.'
Haar vader schiet in de lach.

'Oma heeft die ring lang geleden gekregen',
zegt hij. 'Toen ze nog een meisje was.'
Hij wacht even met praten en denkt na.
'En?', vraagt Elise ongeduldig.
'Ik weet niet precies waarom', zegt hij dan. 'Maar
opa had een hekel aan die ring. Hij vond dat oma
die ring weg moest doen. Maar oma deed het
niet.
Op een dag werd opa zo kwaad op die ring, dat
hij hem doorknipte. Met een grote tang. Ik weet
het nog precies.'

Elises vader houdt even op met praten.
Dan schudt hij zijn hoofd en gaat verder.
'Oma was heel verdrietig, maar opa vond dat hij
het goed had gedaan. Na die dag heb ik die ring
niet meer gezien. En ik heb opa en oma er ook
nooit meer over horen praten.
Ik heb eigenlijk niet meer aan die ring gedacht.
Tot vandaag.'

'Ik ga opa bellen', zegt Elise. 'Ik ga hem vragen
wat er met die ring aan de hand is.
Waarom hij er zo'n hekel aan had.'
Maar haar vader schudt zijn hoofd.
'Dat zou ik niet doen', zegt hij. 'Dan moet je
opa ook vertellen dat wij de ring weer gevonden
hebben. En daar is hij vast niet blij mee.'

'O, jammer', zegt Elise.
Maar bij zichzelf denkt ze: Het is al zo lang
geleden. Wat maakt het uit?

Iwan

Vol verwachting loopt Iwan de volgende
maandag naar de bushalte.
Hij hoopt dat Elise vandaag weer in de bus zit.
Want hij heeft iets bijzonders voor haar.
Iets waar ze heel blij mee zal zijn.
Dat weet hij zeker.

'Kom nou', roept hij tegen zijn zus. 'Straks zijn
we te laat.'
Mila moet lachen.
'Relax man', zegt ze tegen haar broer. 'Wat is er
met jou aan de hand? Je bent nooit zo.'
Maar ze loopt toch een beetje harder door.

Iwan denkt even na. Zal hij het tegen zijn zus
zeggen, of toch maar niet?
'Ik heb iets voor Elise', zegt hij dan. 'Dat wil ik
haar geven.'
'Wat dan?', vraagt Mila nieuwsgierig.

Iwan haalt een pakje uit zijn tas.
'Dit', zegt hij. 'Brieven. Oude brieven.

Van de opa en oma van Elise, denk ik.'
Mila kijkt haar broer verbaasd aan.
'Hoe kom jij daaraan?', vraagt ze.
'Ze zaten in die oude klok van haar familie',
legt Iwan uit.
'De klok, die ik moest maken. Toen ik hem
opendeed, vielen die brieven eruit.'
'Waarom heb je die brieven dan niet meteen
gegeven?', vraagt Mila.
'Dat ben ik vergeten', zegt hij.

Mila moet lachen.
'Was je zo onder de indruk van Elise?', vraagt ze
plagend.
Iwan wordt een beetje rood.
'N-n-nee, dat niet', stottert hij. 'M-m-maar er zat
ook nog een ring in die klok.
D-d-die heb ik wel gegeven. De v-vader van Elise
vond dat ik de ring zo mooi had gemaakt.
En Elise wilde de ring zo graag hebben. En toen
ben ik die brieven vergeten.'

Mila schudt lachend haar hoofd.
'Mijn broer is verliefd', zegt ze.

Iwan wil iets terugzeggen, maar dan ziet hij het busje in de verte aankomen.
'Rennen', roept hij tegen Mila.
En hij holt weg.

Iwan en Kenneth

Kenneth staat weer met Iwan op de hoek van de Domineestraat.

Voor hotel Krasnapolsky.

Hij kijkt naar links en naar rechts.

'Waar blijven die chickies nou', zegt hij tegen Iwan.

Iwan schiet in de lach.

'Er lopen meisjes genoeg langs', zegt hij.

'Kijk, die komen er ook zo aan.'

Hij wijst naar de overkant.

Daar staat een groepje meisjes druk met elkaar te praten.

'Nee, die bedoel ik niet', zegt Kenneth.

'Die bedoel je niet?', herhaalt Iwan verbaasd.

'Nee, ik wacht op een speciaal meisje', zegt Kenneth.

'Hè?', zegt Iwan. Hij begrijpt er niets van.

Kenneth heeft nooit iets met een speciaal meisje.

Kenneth heeft altijd iets met alle meisjes in Paramaribo. Nou ja, alle meisjes is misschien overdreven. Maar toch zeker met de helft van de meisjes in Paramaribo.

'Het is niet jouw zuster, hoor', zegt Kenneth.
'Maak je niet druk, man.'
Weer schiet Iwan in de lach.
'Ik maak me niet druk', zegt hij. 'Ik ben alleen verbaasd.'
Kenneth knikt.
'Yeah man, ik ook', zegt hij. 'Ik denk dat ik verliefd ben. Hoe vind je dat?'
Iwan weet even niet wat hij moet zeggen.
'Nou, eh ... leuk voor je', zegt hij dan. 'Wie is het?'
'Elise de Leeuw', antwoordt Kenneth meteen. 'Maar jij kent haar niet. Ze is nog maar kort in Suriname. Uit Nederland.'

Iwan voelt een steek in zijn maag.
Dat kan toch niet. Dat moet een andere Elise zijn.
'Hoe ken je haar?', vraagt Iwan.
'Van het feestje bij Peggy Arnon', antwoordt Kenneth. 'Daar was zij ook.'

Iwan doet even zijn ogen dicht.
O nee, denkt hij.

'Is zij ook verliefd op jou?', vraagt hij. Zijn stem klinkt onzeker.

Kenneth kijkt zijn vriend aan en knikt.

'We hebben gezoend', zegt hij.

Shit, denkt Iwan. Shit, shit, shit. Waarom moet Kenneth nou verliefd worden op het enige meisje dat ik leuk vind? Hij kan alle meisjes krijgen die hij hebben wil. En wie kiest hij? Het meisje dat ík wil hebben. SHIT!

Iwan

Met trillende benen loopt Iwan naar de plek waar
de bussen staan.
Het liefst had hij Kenneth een stomp op zijn
neus gegeven.
Maar dat heeft hij niet gedaan.
Kenneth kan er tenslotte ook niks aan doen dat
hij verliefd is op Elise.

Iwan had toen maar tegen Kenneth gezegd:
'Ik moet gaan.'
En hij was meteen weggelopen.
Kenneth had nog wel iets tegen hem geroepen.
Maar dat had Iwan niet verstaan.

Iwans benen trillen steeds erger. Hij kan nu
bijna niet meer lopen.
Wat is dat nou voor geks?
Het is net alsof de spieren in zijn benen verlamd
zijn.
En hij is ook nog duizelig.
Hij gaat even op een muurtje zitten en haalt diep
adem.

Dit is niet normaal, denkt Iwan.

Van een paar woorden kun je toch niet zo beroerd zijn?

Drie woorden waren het maar: 1. we 2. hebben 3. gezoend. Meer niet.

Woorden doen geen pijn, zegt zijn oma altijd.

Nou, dat is dus mooi niet waar.

Deze woorden doen wél pijn. Deze woorden maken hem zelfs ziek.

Hij haalt nog een keer diep adem.

Gelukkig, het gaat een beetje beter.

Het moet lukken om nu naar de bus te lopen.

Iwan gaat in bus vier zitten en ontspant een beetje. Maar dat duurt niet lang.

Want daar komt Elise aanlopen.

En alles begint weer: zijn benen trillen en zijn hoofd wordt duizelig. En nu wordt ook zijn tong nog dik.

'Hallo, Iwan', zegt Elise vriendelijk, terwijl ze in de bus stapt. 'Hoi', zegt Iwan met moeite.

Elise gaat naast Iwan zitten en laat haar hand zien.

'Kijk', zegt ze. 'Ik heb hem om. Ik ben zo blij dat jij hem gemaakt hebt.'
Iwan kijkt naar de ring die hij in de klok gevonden heeft.
En dan denkt hij weer aan de brieven.

'Ik heb nog iets voor je', zegt hij. Het praten kost nu minder moeite.
Hij haalt het pakje brieven uit zijn rugtas.
'Deze brieven zaten ook in de klok', zegt hij.
'Maar die ben ik vergeten te geven.'
'Brieven?', vraagt Elise verbaasd. 'Wat voor brieven?'
Iwan haalt zijn schouders op.
'Dat weet ik niet', zegt hij. 'Ik heb ze niet gelezen.'

Elise

Het busje stopt voor het witte huis, waar Elise woont.
'Bye Iwan', zegt Elise. 'Bedankt, hoor. En tot ziens.'
Iwan knikt. Hij kijkt Elise na, terwijl ze naar de poort van het huis loopt.
Haar lange blonde haar waait een beetje op.
Nu de zon er op schijnt, is het net goud.
Iwan zucht.
Ik kan beter niet naar haar kijken, denkt hij.
En niet aan haar denken.
Dan rijdt het busje verder.

Ik zeg niks van die brieven, denkt Elise, terwijl ze het hek openduwt.
Ik zeg niks tegen mijn moeder en niks tegen mijn vader.
Want misschien vinden zij dat ik die brieven niet mag lezen.
Maar ik wil weten wat erin staat. Want ze hebben vast met die ring te maken.
Het pakje met brieven zit veilig in haar schooltas.

Daar kijkt nooit iemand in. Alleen zijzelf.
Straks, als ze alleen is, kan ze de brieven lezen.

'Dag mam', roept ze, als ze het grote huis
binnenloopt.
'Dag gudu', antwoordt haar moeder vanuit de
woonkamer.
'Waarom zit u niet lekker buiten?', vraagt Elise.
'We hebben zo'n fijne tuin.'
'Veel te warm', vindt haar moeder. 'En veel te
veel zon. Dan word ik zo bruin.'
Elise moet lachen.
'In Nederland doen alle vrouwen hun best om
bruin te worden', zegt ze.
'Nederlandse vrouwen, ja', zegt haar moeder.
'Maar Surinaamse vrouwen niet, hoor.'
Elise schudt haar hoofd.
'Ik ga toch lekker even in de tuin zitten', zegt ze.
'Ik vind dat zo'n fijn plekje, aan de rivier. Lekker
in de wind. Onder de amandelboom. Met mijn
benen in het water.'
'Ja, het is daar heerlijk', vindt ook de moeder van
Elise.

Elise loopt de tuin door, helemaal tot aan de rivier.

De twee honden lopen trouw achter haar aan.

Onder de bomen is een groot houten terras, met stoelen.

Daar gaat ze zitten, aan de rand van het water.

Dan maakt ze haar schooltas open en haalt het pakje brieven eruit.

Mijn allerliefste Elise Marie,

*Dag en nacht denk ik aan je. Altijd ben je in
mijn gedachten.
Als de maan boven de rivier staat, dan zie ik
jouw mooie gezicht voor me.
Als de zon warm op mijn huid schijnt, voel ik
jouw armen om me heen.
Als ik limonade drink, proef ik jouw zoete
kussen.
Als ik de twatwa-vogel hoor, denk ik aan jouw
zachte stem.
O, wat houd ik veel van jou, mijn beeldschone
Elise.*

*Ik weet hoe moeilijk mijn liefde voor jou is.
Ik weet dat jouw ouders willen dat jij met een
blanke jongen trouwt.
Ik weet dat een zwarte jongen niet welkom is
in jouw familie.
Om mij heb je ruzie met je ouders, met je
broers en zusters.*

Ik vind dat vreselijk voor je. Want familie is belangrijk.

Lieve, mooie, zachte Elise.
Probeer niet meer aan mij te denken.
Probeer me te vergeten en zoek een blanke man.
Dat is beter voor jou.
Ik zal je eeuwig missen. Ik zal altijd van je blijven houden.
Maar een toekomst is er niet voor ons, mijn liefste.

Ik ben een eenvoudige jongen. Ik woon in een prasi oso.
Jij woont in een schitterend stenen huis, met bedienden.
Jouw vader is een belangrijke man in Paramaribo.
Mijn vader is een eenvoudige visser.
We verschillen te veel, mijn mooie Elise.

Liefde van mijn hart, ik wil niet dat jij je prachtige leven weggooit voor mij.

Ik kan je dat niet aandoen.
Daarom neem ik afscheid van je.
Ik ga het binnenland in; je zult mij nooit meer
zien.
Dat is het beste voor je, geloof me.

In gedachten kus ik je zachte lippen, je blanke
hals, je mooie handen ...

Dag mijn lieve liefste, vaarwel.

Je Kenny

Elise zucht. Wat een mooie liefdesbrief!
Ze wil meteen aan de volgende beginnen.
Maar dan roept haar moeder: 'Elise, kom even
iets drinken!'

Elise

's Avonds op haar kamer, leest Elise de rest van
de brieven.
Het zijn allemaal brieven van Kenny aan oma
Elise. Liefdesbrieven.
In één van de brieven schrijft Kenny over de
ring.
Hij heeft hem laten maken bij een goudsmid.
Speciaal voor oma Elise.

Ik heb er voor Elise van Kenny in laten zetten,
schrijft Kenny, van mijn laatste geld.

Elise doet de ring van haar vinger en kijkt.
Ja, nu ziet ze het duidelijk: *voorelisevankenny* staat
er.
Zonder hoofdletters. En zonder ruimte tussen de
woorden.
Daarom kon ze het eerst niet goed lezen.

Elise zucht, als ze de brieven gelezen heeft.
Wat een moeilijke tijd heeft haar oma gehad toen
ze jong was.

Zestien was ze, toen ze verliefd werd op die Kenny.

Een halfjaar lang is ze met hem omgegaan.

Stiekem. Want haar ouders wilden het niet.

's Nachts sloop ze het huis uit, om Kenny te zien.

Ze spijbelde van school om Kenny te zien.

En schreef aan Kenny dat ze wilde weglopen.

Ik loop weg van huis en kom bij jou wonen, stond in een van haar brieven. Dan trouwen we en dan worden we heel gelukkig.

Maar dat was dus nooit gebeurd.

Omdat Kenny naar het binnenland vertrok.

Wat er daarna gebeurde met haar oma, dat weet Elise niet.

Ze weet alleen dat oma Elise later trouwde met Leonard de Leeuw.

Haar opa. De opa die in Nederland is.

Wat er verder met Kenny is gebeurd, dat weet Elise ook niet.

Want na die afscheidsbrief heeft Kenny niet meer geschreven.

Ik zou het aan mijn vader kunnen vragen, denkt Elise. Of aan opa.
Maar misschien weten die helemaal niets van oma's geheime liefde.

Kenneth en Elise

'Voor jou', zegt Kenneth tegen Elise.
Hij haalt een armbandje tevoorschijn.
Een armbandje van kraaltjes, met een heleboel
kleuren.
'Wat mooi', zegt Elise.
Ze gaat met haar vingers over de kleine kraaltjes.
'Het is kunst', zegt Kenneth. 'Uit het binnenland.
Van de indianen.'
Elise kijkt Kenneth verbaasd aan.
'Indianen?', vraagt ze. 'Zijn die hier ook?'
Kenneth moet lachen.
'Ja hoor', zegt hij. 'We hebben alle kleuren
mensen in Suriname. Bruin, blank, zwart, rood
en geel.'
Elise moet ook lachen.
'Is er vaak ruzie?', vraagt ze. 'Tussen al die
kleuren?'
Kenneth schudt zijn hoofd.
'Eigenlijk nooit', zegt hij.

Kenneth en Elise lopen samen door het centrum
van Paramaribo.

Elise wilde graag de oude houten huizen weer eens zien.

En Kenneth zei meteen dat hij wel met haar mee zou gaan.

'De huizen zijn echt prachtig', zegt Elise tegen Kenneth. 'Maar ze moeten wel geverfd worden.'

Kenneth knikt.

'We kunnen niet beslissen welke kleur het moet worden', zegt hij lachend. 'Die huizen zijn al jaren zo. Iedereen zegt er wat van. En niemand doet wat.'

Elise lacht.

Het is leuk om met Kenneth door Paramaribo te lopen.

'Hoe zit het eigenlijk met trouwen?', vraagt Elise ineens.

Kenneth kijkt haar verschrikt aan.

'Ik vind je heel leuk, maar trouwen ...?', zegt hij.

'Moeten we elkaar eerst niet beter leren kennen?'

Elise krijgt een kleur.

'Nee, ik bedoel: trouwen al die verschillend gekleurde mensen vaak met elkaar? Indianen met blanken, zwarten met bruinen? Of trouwt een zwarte vrouw altijd met een zwarte man en een blanke vrouw met een blanke man? Hoe zit dat hier?'

Kenneth haalt zijn schouders op. 'Gemengde huwelijken zijn heel gewoon', zegt hij dan. 'Niemand doet daar moeilijk over. Kijk maar naar mij. Mijn overgrootmoeder was blank, mijn overgrootvader creools. Mijn grootvader was indiaans. En mijn vader was Chinees. Echt van alles wat.'

'Je bent gewoon een lapjeskat', zegt Elise lachend. 'Ja', knikt Kenneth. 'Een <u>dogla</u>.'

Iwan

'Waren het interessante brieven?', vraagt Iwan
aan Elise. Ze zitten weer samen in de bus van
school naar huis.
Gelukkig heeft Iwan nu geen last van trillende
benen. En ook niet van een duizelig hoofd.
Of van een dikke tong.

Elise knikt langzaam.
'Heel interessant', zegt ze. 'Maar ook wel droevig.
Mijn Nederlandse oma was verliefd op een
Surinaamse jongen. Een zwarte jongen. En dat
vond haar familie niet goed. Die jongen is toen
weggegaan, het binnenland in. Ze heeft hem
nooit meer gezien.'

Elise zoekt even in haar tas en pakt er een foto
uit. Een oud zwart-witfotootje is het.
Het zat in een van de brieven van Kenny aan
oma Elise.
Er staat een jonge man op het fotootje, onder de
bomen aan een rivier.
'Dat is de geliefde van mijn oma', zegt Elise.

'Kenny heet hij. Ik zou wel meer willen weten van die Kenny van mijn oma. Ik vind het zo romantisch allemaal. Maar dat zal wel moeilijk worden. Ik weet zijn achternaam niet eens.'

Iwan denkt even na.
'Ik heb een idee', zegt hij dan. 'Mijn oom, je weet wel, de klokkenmaker. Hij is al heel oud. En hij heeft zijn hele leven in Paramaribo gewoond. Misschien kent hij die Kenny wel. Ik zal het hem vragen. En misschien heeft hij je oma ook wel gekend.'

Elise knikt enthousiast. Wat een goed idee van Iwan.

Elise

'En hoe vind je het in Suriname?', vraagt Elises
vader.
Ze zitten met z'n drieën te eten in de grote serre
achter het huis: Elise en haar ouders.
Elise wilde graag op het terras aan de rivier eten.
Maar haar moeder vond dat niet goed.
'Dan komen er zo veel insecten op je eten af',
zei haar moeder.
En dus zitten ze binnen. Ze eten roti.
Heel lekker, vindt Elise.

'Je bent hier nu drie maanden', zegt Elises
moeder. 'Lang genoeg om een mening te hebben
over Switi Sranang.'
Elise lacht. Switi Sranang, het geliefde Suriname.

Elise denkt even na.
De mensen zijn aardig, het weer is heerlijk,
het huis is prachtig, allemaal goed.
De school is een beetje minder.
Het is allemaal nogal oud: het gebouw, de
meubels, de boeken.

Maar iedere dag al om één uur uit; dat is wel weer fijn.
En veel huiswerk heeft ze niet.
Elke dag is er tijd voor leuke dingen: door Paramaribo lopen met Kenneth, winkeltjes kijken met Mila, zwemmen en tennissen bij Oase met haar moeder.
En bijna elk weekend spreekt ze af met de meisjes van haar klas.

'Het is geweldig', zegt ze dan. 'Veel leuker dan ik had gedacht.'
'Heb je al vrienden?', vraagt haar vader verder.
'Ja', zegt Elise. 'Mila is een vriendin van me.
Daar zit ik vaak mee in het busje naar huis.
En met haar broer. En ik ga ook om met de andere meisjes van mijn klas.'
Ze twijfelt even over Kenneth.
Zal ze vertellen dat ze verkering met hem heeft?
Nee, toch maar niet.

Eigenlijk weet Elise nog steeds niet of ze wel verkering met Kenneth heeft.
Ze ziet hem vaak, dat wel.

Dan lopen ze hand in hand door de <u>mall</u>.
Of langs de <u>Waterkant</u>.
Ze zoenen stiekem. Ergens op een stil plekje,
waar niemand het ziet.
Maar Kenneth heeft nog nooit gevraagd of Elise
zijn vriendin wil zijn.
Misschien heeft Kenneth wel zes vriendinnen.

Kenneth en Elise

Kenneth en Elise lopen samen naar de markt.
'Grappig zo'n markt binnen', vindt Elise.
'In Nederland zijn markten altijd buiten.'
'Dat zou hier veel te heet zijn', zegt Kenneth.
'Dan zou al het voedsel meteen bederven.'

Ze gaan samen het grote gebouw van de markt
binnen. Meteen komen er allerlei geuren op hen
af. En geluiden.
Elises ogen moeten even wennen aan het donker.
Maar dan ziet ze voor het eerst van haar leven
een tropische markt.
Hoge stapels groente en fruit en zakken vol
kruiden. Vlees en vissen in bakken vol ijs.
Grote rollen vrolijke stof, om kleren van te
maken.
Plastic emmers, bakken, schalen, borden en
lepels in alle kleuren.

Elise vindt het prachtig.
Ze vraagt bijna iedere minuut: 'Wat is dit?',
en: 'Hoe heet dat?'

En Kenneth legt het allemaal rustig uit. Wel een halfuur lang.
'Dat is kousenband en dat is een mango. En dat is kraboe fisie.'
Lachend houdt Kenneth een levende krab voor Elises neus.

'Gatver', gilt Elise. Ze stapt achteruit.
'Hoe kan iemand dat kopen?', vraagt ze.
'Het beweegt en het stinkt.'
'De smaak is goed', zegt Kenneth lachend.
'Ik wil hier weg', zegt Elise. 'Ik ben misselijk geworden van dat enge beest.'
Kenneth pakt haar hand en trekt haar mee naar de uitgang.
En dan staan ze weer in het felle licht van de zon.
Weg zijn de geuren en de geluiden van de markt.

'Kom', zegt Kenneth. 'We gaan iets drinken, aan de Waterkant.'
Hij loopt met Elise naar een bankje onder de hoge bomen.
'Ga lekker zitten', zegt hij. 'Dan haal ik iets.

Wil je cola?'
'Ja', zegt Elise. 'Graag.'

Als ze samen cola drinken, durft Elise het ineens
te vragen.
'Kenneth?'
'Ja?'
'Hebben wij nou verkering?'
'Ja, hoor', lacht Kenneth.

Elise

Op het terras van Oase zitten Elise en haar
moeder.
Onder een grote parasol bij het zwembad.
Ze hebben net gezwommen en drinken nu een
glas cola.
Elises moeder komt hier vaak. Dan spreekt ze af
met vriendinnen.
Maar vandaag zijn ze met z'n tweeën.

'Mam?', vraagt Elise. 'Hoe was het toen u
trouwde?'
'Wat bedoel je?', vraagt haar moeder. 'Wat voor
weer het was?'
Elise moet lachen.
'Nee, dat niet', zegt ze. 'Ik bedoel: vonden opa en
oma het goed dat jullie trouwden?'
Elises moeder kijkt ernstig.
'Omdat ik bruin ben en je vader wit?', vraagt ze.
Elise knikt.
'Ik heb er in Nederland eigenlijk nooit over
nagedacht', zegt Elise. 'Maar ...'
Ze aarzelt even.

Zal ze vertellen over de brieven van oma Elise?
Nee, toch maar niet.
'Maar hier is het anders', zegt ze dan.

Elises moeder knikt.
'Mijn ouders vonden jouw vader geweldig', zegt
ze. 'Niet omdat hij een witte man was, maar
omdat hij zo aardig was. En zijn ouders ...'
Elises moeder denkt even na.
'Opa en oma zijn altijd heel lief voor mij
geweest', zegt ze dan. 'Vooral oma. Maar die heb
ik maar kort gekend. Ze stierf vlak voordat jij
geboren werd.'

'Ik heb een pakje brieven gevonden van oma',
zegt Elise dan toch. 'Ze zaten verstopt in de oude
Hollandse klok van opa.'
Elises moeder kijkt haar verbaasd aan.
'Een pakje brieven?', vraagt ze. 'Wat voor
brieven?'
'Liefdesbrieven', zegt Elise. 'Van een zwarte
jongen. Oma mocht niet met hem omgaan van
haar ouders.'
Elises moeder knikt langzaam.

'Daarom wil je weten of opa en oma mij wel accepteerden', zegt ze.

'Ja', zegt Elise. 'Vindt u het erg?'

'Welnee', zegt Elises moeder. 'Het is goed om dat soort dingen te weten over je ouders. En over je grootouders. Familie is belangrijk. En de geschiedenis van je familie ook.'

Iwan

Iwan staat met zijn mobiele telefoon in zijn hand.
Zal ik Elise bellen of sms'en?, denkt hij.
Bellen maar, bellen is beter.

Elise neemt meteen op.
'Ja, met Elise', zegt ze.
'M-m-met Iwan', stottert Iwan.
'O hallo Iwan', zegt Elise heel gewoon.
'Ja hallo', zegt Iwan. En dan weet hij niet meer
wat hij zeggen wou.
'Is er iets, Iwan?', vraagt Elise.
'Ja, m-m-mijn baas, mijn oom, weet je wel?',
zegt Iwan.
'Ja?', vraagt Elise. 'Wat is er met je baas, je oom?'
'Hij weet misschien meer over die Kenny,
die zwarte man van je oma', zegt Iwan.
'Aha, echt?', roept Elise blij.

Iwan knikt. Maar dat kan Elise natuurlijk niet
zien. 'Wat weet hij allemaal?', vraagt Elise.
'Hij wil het je zelf vertellen', zegt Iwan. 'Kun je
vanmiddag naar zijn huis komen?'

'Ik weet het niet', aarzelt Elise. 'Hoe moet ik daar komen?'
'Met bus vier', zegt Iwan. 'Als je zegt hoe laat je komt, sta ik wel aan de weg. Dan lopen we samen naar hem toe.'
'O, supergaaf', zegt Elise. 'Dankjewel, Iwan, echt heel fijn.'

'Ik ga nog even naar Mila', roept Elise tegen haar moeder. 'Met de bus.'

Eigenlijk moet ik het gewoon zeggen, denkt Elise.
Ik moet gewoon tegen mijn moeder zeggen dat ik naar de klokkenmaker ga.
Omdat ik meer wil weten van mijn familie.
Mijn moeder heeft zelf gezegd dat het belangrijk is.

Maar toch zegt Elise niets.
'Dag mam, tot straks', roept ze.

Iwan

Elise loopt met Iwan over het zandpad.
'Wat is het hier leuk', zegt Elise. 'Zo rustig,
zo groen en het ruikt zo lekker.'
Iwan lacht.
'Er wonen hier veel Javanen', zegt hij. 'En die
kunnen lekker koken.'
'Ik weet het', zegt Elise. 'Mijn moeder is half-
creools, half-Javaans.'
'Echt?', zegt Iwan verbaasd. 'Hoe kan dat? Je ziet
er zo Hollands uit.'
Elise haalt haar schouders op.
'Ik weet niet waarom', zegt ze. 'Maar ik lijk op
de familie van mijn vader. Ik heb bijna niets van
mijn moeder.'
Iwan kijkt eens goed naar haar.
'Jawel', zegt hij dan. 'Je huid is best bruin.
Te bruin voor een <u>bakra</u>.'
Meteen heeft hij spijt. Bakra, dat had hij niet
moeten zeggen.
Maar Elise moet lachen.
'Tja, dat ben ik wel', zegt ze. 'Half bakra, half
suri.'

'Daar is het', wijst Iwan. 'Mijn oom staat er al.'
Ze lopen de groene tuin van Iwans oom in.
'Dag oom Djen', zegt Iwan. 'Daar zijn we dan.'
'Dag Iwan, dag jongedame', zegt de oude man.
Hij buigt zijn hoofd even.
'Dag meneer', zegt Elise. 'Iwan vertelde dat u iets
kunt vertellen over mijn oma.'
'Misschien wel, misschien niet', zegt oom Djen
ernstig.
Elise kijkt teleurgesteld.
Misschien wel, misschien niet? Wat is dat nou?
Maar dan ziet ze dat de ogen van de oude man
lachen.

'Iwan zei iets over een foto', zegt oom Djen.
Elise haalt meteen het oude zwart-witfotootje
tevoorschijn.
'Dit is Kenny', zegt ze. 'De geliefde van mijn
oma.'

Oom Djen zet zijn bril op en zegt een tijdje niets.
Elise en Iwan kijken naar hem. Ze durven niets
te zeggen.
Na een paar minuten zet hij zijn bril weer af.

'Ja', knikt hij. 'Ik ken deze man. Dit is Kenny
Braafhart.'
Oom Djen is even stil.
'Kenny was een vriend', zegt hij dan.

Elise

Dan vertelt oom Djen over zijn vriend Kenny.
Dat hij verliefd was op een blank meisje.
Maar dat haar familie hem niet goed genoeg
vond.
Dat hij toen is weggegaan, werken in het
binnenland.
Tien jaar lang had oom Djen niets van hem
gehoord.
Maar toen kwam Kenny terug uit het
binnenland, naar Paramaribo.
Hij was ernstig ziek. Waarschijnlijk van het
zware werk.
Hij kon niet goed meer ademen. Binnen een jaar
was hij dood.

'Hij praatte alleen nog maar over zijn grote liefde
van vroeger', vertelt oom Djen.
'Maar hij heeft nooit haar naam genoemd. Nooit.
Ik weet nu dat ze jouw oma was. Elise Marie
Verboom. Het mooiste meisje van Paramaribo.
Haar familie was heel rijk. En heel blank.'
Oom Djen wacht even.

Dan gaat hij verder: 'Er werd wel gepraat toen, over de familie Verboom. Dat een van de dochters verliefd was op een arme, zwarte jongen. En dat ze zwanger van hem was. Maar er wordt altijd zo veel gepraat. Ik dacht: het zal wel een roddel zijn. Later trouwde Elise Verboom met de rijke, blanke meneer De Leeuw. Jouw opa.'

'Maar mijn oma was wel verliefd op Kenny', zegt Elise. 'Dat was geen roddel; dat was waar.'
'Ja', knikt oom Djen. 'Dat was waar.'

'Misschien was die zwangerschap dan ook wel waar', zegt Elise.
Oom Djen schudt zijn hoofd.
'Dat weet niemand', zegt hij.

Elise

Het lijkt wel alsof ik in een droom zit, denkt
Elise. Of in een film.
Ze loopt terug over het zandpad. Naar de straat
waar de bus rijdt.
Ze voelt zich vreemd ver weg.
Af en toe knijpt ze even in haar arm. Au, ja, ze is
wakker. Het is allemaal echt gebeurd.

Iwan loopt de hele tijd zwijgend naast haar.
Hij begrijpt wel dat Elise geschrokken is.
Hij zou iets willen zeggen, maar hij weet niet
wat.
Voorzichtig pakt Iwan Elises hand en knijpt er
even in.
Elise kijkt hem aan.
'Wat moet ik doen, Iwan?', vraagt ze.
Iwan schudt zijn hoofd.
'Niets, denk ik', zegt hij.

'Ik wil weten of het waar is, van die
zwangerschap', zegt Elise dan. 'Ik wil weten of
mijn oma een kind heeft gekregen van Kenny.'

Iwan staat stil en kijkt haar aan.

'Je moet het laten rusten', zegt hij. 'Het is
meer dan vijftig jaar geleden, Elise. Het is niet
belangrijk meer.'

'Jawel', zegt Elise. 'Het is wel belangrijk. Voor mij
in ieder geval wel.'

Iwan zucht.

Hij begrijpt wel dat Elise graag meer wil weten
over haar familie.

Maar hij weet ook dat er in veel Surinaamse
families geheimen zijn. En dat die geheimen niet
makkelijk verteld worden.

'Je kunt het vragen aan je opa', zegt hij dan.

'Misschien weet hij het. En misschien wil hij het
wel aan je vertellen.'

Elise denkt aan de ring die haar opa heeft
doorgeknipt.

Ze knikt.

Ja, dat moet ze dan toch maar doen. Opa bellen.

Elise

'Hallo opa?', zegt Elise door de telefoon.
'Dag mijn lieve kleindochter', roept opa hard
terug.
Opa denkt dat hij heel hard moet praten in de
telefoon. Vooral als hij helemaal uit Suriname
wordt gebeld.
'Hoe is het met u, opa?', vraagt Elise.
'Prima, kind, prima', antwoordt opa. 'Alles doet
het nog, maar een beetje langzamer dan vroeger.'
Elise lacht. Dat is echt opa.
'Opa, ik wil u wat vragen', zegt Elise.
'Toe maar, kind', roept opa. 'Nu kan het nog.
Straks ben ik er niet meer.'

Precies, denkt Elise. Daarom.
Maar ze zegt: 'U moet nog heel lang blijven
leven, hoor. Ik heb u nodig, om over vroeger te
vertellen.'
Opa lacht.
'Misschien kom ik wel naar Suriname als het
hier winter wordt', schreeuwt hij. 'Dan kan ik de
hele dag met je praten over vroeger.'

'Dat wil ik heel graag', zegt Elise. 'Maar ik wil nu
alvast iets weten.'
'Zeg het maar', toetert opa in Elises oor.

'Opa, ik heb een ring gevonden', zegt Elise.
'Een ring van oma. Hij was doorgeknipt. Weet u
iets van die ring?'
Het is even stil in Nederland.
Dan begint opa te lachen.
'Ja, ik weet het weer', roept hij. 'Ik heb een ring
doorgeknipt. Lang geleden. Waar heb je hem
gevonden, lieverd?'
'In die oude, Hollandse klok van u', zegt Elise.
'Ach, natuurlijk', roept opa. 'Dat was oma's
geheime plekje. Ze stopte van alles in die klok:
geld, brieven, sieraden, sleuteltjes, alles.'

'Maar waarom heeft u die ring doorgeknipt?',
vraagt Elise.
'Ach ja, die ring!', tettert opa. 'Oma had die ring
gekregen van een jeugdvriend. Ze droeg zijn ring
altijd. Op een dag vond ik het genoeg. Toen heb
ik hem doorgeknipt.'
'Weet u wie die jeugdvriend was?', vraagt Elise.

'Nee', roept opa. 'Hij woonde niet in Paramaribo, maar ergens in het binnenland.'

Teleurgesteld legt Elise de telefoon neer.
Opa kan haar niet verder helpen. Of hij wil het niet.

Elise en Kenneth

'We hebben al vier maanden met elkaar',
zegt Elise tegen Kenneth.
Kenneth kijkt haar even verbaasd aan.
'Dat zeggen we zo, in Nederland', legt Elise uit.
'Vier maanden verkering.'
'O', zegt Kenneth. 'Dat moeten we dan vieren,
toch?'
'Ja', zegt Elise. 'En ik heb een idee. Ik ga een foto
van je maken, aan de rivier. Precies op de plaats
waar mijn oma Elise een foto van haar geliefde
Kenny heeft gemaakt.'

Dan bedenkt Elise dat Kenneth helemaal niets
weet van Kenny en oma Elise.
Ze rommelt even in haar tas en haalt het fotootje
van Kenny eruit.
'Kijk', zegt ze. 'Weet jij waar dit ongeveer is?'
Kenneth kijkt naar het zwart-witfotootje.
'Ik weet precies waar het is', zegt hij. 'Naast de
markt, aan de Waterkant. Kijk maar, je ziet die
gezonken boot op de achtergrond. Hij ligt nu nog
steeds midden in de rivier.'

Elise kijkt. Ja, nu ziet ze het ook.
'Die boot lag er toen dus ook al', zegt ze. 'In de tijd van mijn oma.'
Kenneth knikt. 'We zijn niet zo snel met opruimen in Suriname', zegt hij lachend.

Ze lopen samen naar de plek van de foto, aan de rivier. Daar maakt Elise een foto van Kenneth.
En Kenneth maakt een foto van Elise.
Allebei met hun mobiele telefoon.
Ze sturen de foto's ook meteen naar elkaar toe.

'Ik laat die foto van jou afdrukken', zegt Elise.
'Zwart-wit. Net als het fotootje van mijn oma.'
Ze kijkt nog een keer naar het oude fotootje en stopt het dan in haar tas. 'En ik laat die van jou afdrukken', zegt Kenneth. 'Maar niet zwart-wit.
Ik wil je blonde haar zien en je blauwe ogen.'
Hij geeft haar een zoen op haar mond.

'Toet toet', klinkt het ineens naast hen.
Het is de auto van Elises vader.
O hemel, denkt Elise. Mijn vader heeft me zien zoenen met Kenneth.

Met trillende benen loopt ze naar de auto toe.

'Ha pap', zegt ze vrolijk tegen haar vader.

'Ik ga nu naar huis. Rijd je mee?', vraagt haar vader.

'Ja, graag', zegt Elise. En tegen Kenneth:

'Dag Kenneth. Ik zie je wel weer.'

Snel stapt ze in de auto.

De auto rijdt meteen hard weg.

Elise

'Zo', zegt Elises vader. 'Jij hebt mij iets uit te
leggen.'
Elise kan aan zijn stem horen dat hij kwaad is.
Om die zoen natuurlijk.
'Ik eh ... ik heb een vriendje', zegt ze zachtjes.
'Dat mag toch wel?'
'Je bent veertien, Elise', zegt haar vader. 'Dat is
veel te jong voor een vriendje.'
Elise kijkt naar haar handen.
Ze weet niet wat ze moet zeggen.
'En wat weet je van die jongen?', vraagt haar
vader verder.
'Uit wat voor familie komt hij? Wat zijn zijn
toekomstplannen?'
Weer weet Elise niet wat ze moet zeggen.
Ze weet inderdaad niets van Kenneth.
Ze weet alleen dat ze verliefd op hem is.

Ze denkt even aan haar oma. En dan flapt ze het
er ineens uit:
'Vindt u het soms erg dat hij zwart is?'
Maar nu wordt haar vader echt kwaad.

'Zijn kleur kan me niet schelen, Elise', roept hij woedend. 'Jij zou beter moeten weten.
Maar zijn opleiding kan me wel schelen.
En zijn karakter ook. Ik wil graag dat jij omgaat met serieuze jongens. Met jongens die naar school gaan en hun best doen. Niet met mooie playertjes die jou zoenen op straat.'

'Maar hoe weet u nou ...', begint ze. Maar dan houdt ze haar mond.
Haar vader heeft natuurlijk gelijk.
Kenneth is een mooie jongen, maar dat is alles.
Mila had haar al gewaarschuwd.
Kenneth is geen serieuze jongen, die hard werkt aan zijn toekomst.
Hij hangt een beetje rond met vrienden. En met haar.

'Wat heb je allemaal met hem gedaan?', vraagt haar vader kwaad.
Elise schudt haar hoofd. De tranen lopen nu over haar wangen.
'Hij heeft me Paramaribo laten zien', zegt ze.
'Dat is alles.'

'Nou, ik heb iets anders gezien', zegt haar vader.
Zijn stem klinkt nog steeds boos.
'Pap, er is niks gebeurd', zegt Elise. 'We hebben
hand in hand gelopen en een beetje gezoend.
Meer niet.'

Haar vader wordt wat kalmer.
'Je blijft vanaf nu elke middag thuis', zegt hij.
'Je mag afspreken met vriendinnen. Je mag zelfs
afspreken met vrienden. Maar die komen dan
bij ons thuis. Ik wil niet dat je loopt te zwerven
door Paramaribo. Straks ben je zwanger van zo'n
flierefluiter.'

Paramaribo, juli 2009

Lieve Kenneth,

*Het spijt me dat ik je gisteren ineens heb laten
staan. Maar ik kon niet anders.
Mijn vader heeft ons zien zoenen en hij was
woest. Hij vindt me nog veel te jong voor een
vriendje.*

*Ik mag nu 's middags niet meer alleen weg.
Ik moet van school meteen naar huis toe en
daar moet ik dan blijven.
We kunnen elkaar voorlopig dus niet meer
zien.
En ik hoop dat je nog mijn vriendje wilt
blijven.*

*Ik denk de hele tijd aan je. Dag en nacht.
Aan alle leuke plekjes die je me hebt laten
zien. Aan de avond bij Peggy, toen we elkaar
ontmoet hebben. Aan je ogen, je lippen, je
handen ...
Ik zou zo graag naar je foto willen kijken.*

*Maar mijn vader heeft mijn mobieltje voor
twee weken afgepakt. Ik kan je foto dus
ook niet laten afdrukken. Wil jij dat voor
me doen? Ik had de foto al naar je mobiel
gestuurd toen we bij de rivier waren.*

*Deze brief geef ik aan Mila. Zij zal ervoor
zorgen dat jij hem krijgt. Als je me terug wilt
schrijven, geef jouw brief dan ook aan Mila.
Zij geeft die dan weer aan mij.*

*Het is echt pech dat mijn vader ons samen
gezien heeft. Anders hadden we nu gewoon
gezellig samen langs de rivier kunnen lopen.
Samen schaafijs kunnen eten. Samen een
broodje zoutvlees kunnen eten.
En nu zit ik hier, gevangen in een prachtig
huis aan de rivier.*

Heel veel liefs en kussen van Elise

Elise

Elise en Mila zitten samen op het balkon van
Elises kamer.
'Heb je mijn brief aan Kenneth gegeven?',
vraagt Elise. Mila knikt.
'Heeft hij nog iets gezegd?', vraagt Elise.
Mila haalt haar schouders op.
'Ja, hij zei: dankjewel', zegt ze. 'Verder niks.'

Elise kijkt teleurgesteld.
'Vergeet hem, Elise', zegt Mila. 'Ik heb het
je al eerder gezegd: Kenneth houdt niet van
problemen. Zodra het moeilijk wordt, is hij weg.'
Elise knikt. Waarschijnlijk heeft Mila gelijk.
Maar Kenneth vergeten ... dat zal moeilijk
worden.
'Je bent een mooie meid', gaat Mila verder.
'Er zijn jongens genoeg die je willen hebben.'
Mila denkt even: zal ik zeggen dat Iwan verliefd
op haar is? Maar dat doet ze toch maar niet.

Nog steeds geeft Elise geen antwoord. Ze kijkt
naar de rivier en naar de boten die langsvaren.

'Heb je nog iets ontdekt over je oma?', vraagt Mila
dan.
Mila weet alles over oma Elise, net als Iwan.
'Nee', zegt Elise zachtjes. 'Mijn opa heeft niets
verteld. En mijn vader is zo kwaad op me ...
ik durf hem nu niets te vragen.'

'Het is raar dat jullie levens zo op elkaar lijken',
vindt Mila.
'Hè?', zegt Elise. 'Wat bedoel je?'
'Nou, ten eerste heten jij en je oma allebei Elise',
zegt Mila. 'En zijn jullie allebei verliefd geworden
op een zwarte jongen, die Kenneth heet. Ten
tweede zijn jouw ouders en de ouders van oma
Elise niet erg enthousiast over die liefde. En ze
hebben jullie verboden om met die man om te
gaan.'

Elise grinnikt.
'Maar dat is dan ook alles', zegt ze. 'Want mijn
Kenneth is niet vertrokken naar het binnenland
en ik ben niet zwanger van hem.'
'Misschien was jouw oma ook niet zwanger van
haar Kenny', zegt Mila.

'Nee, misschien niet', zegt Elise. 'Ik vind het zo jammer dat ik dat niet weet.'

'Misschien maar beter ook', vindt Mila.

'Sommige geheimen moeten geheimen blijven.'

Kenneth

Kenneth loopt de Hofstraat in.
Daar woont hij, samen met zijn moeder en zijn
oma. Zijn opa is overleden en zijn vader werkt op
Curaçao, in de bouw.
Vorige week heeft zijn vader nog gebeld.
Hij vroeg of Kenneth ook naar Curaçao wilde
komen. Er is veel werk daar in de bouw. En zo
zou Kenneth mooi een vak kunnen leren.
Kenneth was niet enthousiast geweest.
Hij wilde liever in Paramaribo blijven. Bij zijn
vrienden en bij Elise.

'Dag oma', zegt Kenneth, als hij binnenkomt.
'Dag jongen', zegt zijn oma. 'Heb je een leuke
dag gehad? En wat heb je daar bij je?'
Kenneth moet lachen.
Zijn oma stelt altijd veel vragen tegelijk.
'Ik heb foto's laten afdrukken', zegt hij. 'Voor een
vriendin van me.'
Hij legt de envelop met de foto's van Elise en
hem op tafel.
'Kijkt u maar', zegt hij tegen zijn oma.

Nieuwsgierig maakt oma de envelop open.

'Mooi meisje', mompelt ze bij de foto van Elise.

'Zij is mijn vriendin. Maar ik mag haar niet meer zien', zegt Kenneth.

Oma kijkt ernstig.

'Waarom niet?', vraagt ze.

En dan vertelt Kenneth van de zoen. En van Elises vader.

'De vader van dat meisje heeft gelijk', zegt oma meteen. 'En ik ben boos op jou. Je moet niet rondhangen in de stad. Ga iets nuttigs doen. Zoek een baantje.'

'Ik zit toch op school', mompelt Kenneth. 'Dat is toch nuttig.'

'Je bent bijna klaar met school', zegt zijn oma. 'Je moet gaan nadenken over je toekomst. Kijk eens naar je vriend Iwan. Hij is serieus bezig. Jij bent een flierefluiter.'

Kenneth moet lachen.

'Een wát?', vraagt hij.

'Flierefluiter', herhaalt zijn oma. 'Flierefluiter, flierefluiter.'

Paramaribo, juli 2009

Mijn lieve Elise,

Ik vind het zo naar voor je dat je vader ons gezien heeft. En dat je nu nergens meer naartoe mag. Ik dacht dat Nederlandse meisjes zo vrij waren. En dat Nederlandse ouders alles goed vonden. Maar bij jou is dat dus niet zo.

Ik weet niet wat ik er verder over moet zeggen. Ik weet ook niet wat ik ervan moet vinden. Maar ik denk dat wij elkaar een tijdje niet moeten zien. Ik ga voor een paar maanden naar Curaçao. Mijn vader werkt daar in de bouw. Ik ga hem helpen. Waarschijnlijk ga ik huizen verven.

Als ik terugkom, dan kunnen we elkaar vast wel weer zien. Want dan hoef jij niet meer thuis te blijven. En dan heb ik een vak geleerd en dat is ook goed.

Misschien ga ik dan die oude, houten huizen verven, die jij zo mooi vindt!
En misschien denkt je vader dan anders over mij.

Ik heb de foto's van ons aan de Waterkant laten afdrukken.
Ik neem jouw foto mee naar Curaçao.
En ik stop mijn foto bij deze brief.
Zo kunnen we elkaar toch zien en aan elkaar denken.

In gedachten kus ik je lippen, streel ik je haar.

Kenneth

Elise

Elise zit op haar bed met de brief van Kenneth
in haar hand.
Tranen lopen over haar wangen.
'Nu lijk ik echt op oma Elise', zegt ze tegen
Mila. 'Mijn Kenneth gaat ook weg. Niet naar
het binnenland, maar naar het buitenland, naar
Curaçao.'

Mila komt naast haar zitten en slaat een arm om
haar heen.
'Voor altijd?', vraagt Mila.
'Nee, voor een paar maanden', zegt Elise.
'Hij gaat zijn vader helpen in de bouw.'
'Dat is toch prima', zegt Mila. 'Voor hem en
ook voor jou. Een paar maanden is niet zo lang.
Als jullie echt verliefd zijn, zijn jullie dat over een
paar maanden ook nog wel.'
Elise knikt met tranen in haar ogen.
'Ik zal hem zo missen', zegt ze tegen Mila.
'Ik vond het zo leuk om met hem door
Paramaribo te lopen en alles te ontdekken. Het is
zo saai: alleen maar thuis zijn en op school.'

Mila kijkt om zich heen.
Ik zou het niet saai vinden in dit mooie, grote
huis, denkt ze.

'Mila?', vraagt Elise dan voorzichtig. 'Hoe is
dat bij jullie thuis? Als eh ... als jij een vriendje
zou hebben dat eh ... een andere kleur heeft ...
zouden jouw ouders dat dan goed vinden?'

Mila denkt even na.
'Ik denk dat het zo zit', zegt ze dan. 'Ik mag
Chinese, Nederlandse, creoolse, indiaanse
vrienden hebben; dat maakt niets uit. Maar mijn
echtgenoot ... dat is toch anders. Mijn ouders
hopen dat ik zal trouwen met een jongen die
uit een goede familie komt, met een jongen die
een goede baan heeft. Dat is het belangrijkste.
Daarna komt zijn afkomst ... maar ...'

Mila grinnikt even en gaat dan verder.
'Mijn ouders willen vast dat ik trouw met een
Hindoestaanse jongen.
Niet omdat zij vinden dat Hindoestanen beter
zijn dan creolen en Chinezen en zo.

En ook niet omdat zij bruin de beste kleur vinden. Maar omdat een Hindoestaanse jongen vertrouwd is. Mijn ouders zijn Hindoestaans, ik ben Hindoestaans en dan is het fijn als mijn man ook Hindoestaans is. Dat is wat mijn echtgenoot moet zijn en hebben: een goede familie – een goede baan – Hindoestaan. Denk ik.'

Elise kijkt haar vriendin aan.

'Ja', zegt ze. 'Zo zullen alle ouders wel denken.'

Elise

De volgende ochtend gaat de telefoon.
De moeder van Elise neemt op.
Het is opa uit Nederland.
'Ik heb een vliegticket geboekt', schreeuwt hij
naar Suriname toe. 'Ik kom in november. En dan
blijf ik de hele winter. Want mijn kleindochter
wil weten hoe het vroeger was in Suriname.
En dat moet ik haar vertellen, voordat ik doodga.'

'Opa komt naar Suriname', zegt Elises moeder
lachend. 'Om met jou te praten over vroeger.
Met jouw verjaardag is hij er. Leuk, toch?'
Elise haalt haar schouders op.
'Ik vind het leuk dat opa komt', zegt ze.
'Maar wat ik wil weten, vertelt hij toch niet.'
'O?', vraagt haar moeder. 'Wat wil je dan weten?'

En dan vertelt Elise over oom Djen.
Dat hij gehoord heeft dat oma Elise Marie
Verboom zwanger was van een zwarte jongen.
En dat die zwarte jongen de Kenny van de
liefdesbrieven is.

'Ik wil het zo graag weten', zegt Elise tegen haar moeder. 'Ik ben nieuwsgierig naar mijn oma. Dat begrijpt u toch wel?'

Elises moeder is even stil. 'In Nederland houden de mensen niet van geheimen', zegt ze dan. 'Iedereen moet altijd alles weten. Iedereen moet altijd alles zeggen. Nederlanders vinden dat eerlijk. Nederlanders vinden dat goed.'
Elises moeder plukt even aan haar jurk.
'In Suriname zijn de mensen anders', gaat ze verder. 'Hier vinden de mensen dat het soms beter is om dingen niet te weten. En om dingen niet te zeggen. Omdat die dingen je verdrietig kunnen maken. En omdat je er toch niets aan kunt veranderen.'

Weer wacht Elises moeder even.
'Ik kies voor de Surinaamse manier', zegt ze dan.
'En ik denk dat jij dat ook moet doen. Zeker nu je hier in Suriname bent.'
Ze streelt Elises rommelige haar.
'Ik houd veel van je, gudu', zegt haar moeder zacht.

'En ik weet hoe moeilijk dit voor je is. Je hebt veertien jaar in Nederland gewoond. Je bent een echt Nederlands meisje. Maar je woont nu hier. En dus moet je je aanpassen. Soms gaat dat makkelijk en soms niet.'
Ze geeft Elise een kus op haar hoofd.

'Maar opa is toch een Nederlander', probeert Elise nog. 'Hij kan het toch wel vertellen.'
'Nee hoor', zegt haar moeder. 'Opa heeft zijn hele leven in Suriname gewoond, tot 15 jaar geleden. Opa is een echte Surinamer.'

Iwan

'Hallo Elise', zegt Iwan. 'Heb je al iets gehoord
van Kenneth?'
Ze zitten in bus vier te wachten. Samen.
Verder zit er nog niemand in de bus.
'Ja, hij heeft me geschreven, via Mila', zegt Elise.
'Eén kaart, met een paar zinnetjes erop.'
Iwan schiet in de lach. Dat is echt Kenneth,
denkt hij.
'Heeft hij het naar zijn zin op Curaçao?',
vraagt hij.
'Ja hoor', zegt Elise. 'Hij schrijft dat hij het leuk
vindt om te leren verven. En dat Curaçao een
mooi eiland is. Luxer dan Suriname.'
Iwan knikt. 'Ja, dat heb ik ook gehoord', zegt hij.

'Mis je hem?', vraagt Iwan dan. Hij schrikt er
zelf van.
Dat kan hij toch helemaal niet vragen!
Maar Elise geeft gewoon antwoord.
'Ja, best wel', zegt ze. 'Het was zo leuk om met
hem rond te lopen. Hij kende Paramaribo zo
goed.'

Ik ken Paramaribo ook goed, denkt Iwan.
Maar hij zegt niets.

'Weet je al iets meer over je oma en Kenny
Braafhart?', vraagt hij dan maar.
Hij kent het antwoord al. Maar hij weet niets
anders te zeggen.
Elise schudt haar hoofd.
'Nee', zegt ze. 'Niemand weet iets. Of niemand
wil erover praten. Alleen jouw oom Djen heeft
iets over mijn oma verteld. En misschien is dat
niet eens waar.'

Iwan kijkt even opzij naar Elise.
Ik moet iets bedenken, denkt hij. Ik moet iets
bedenken om haar aandacht te krijgen.
Ik vind haar zo leuk. Ik wil zo graag dat zij mij
ook leuk vindt!
'Eh boi', zegt hij nadenkend. 'Ik heb nog wel een
idee.'
Elise kijkt hem vol verwachting aan.
'Wat dan?', vraagt ze nieuwsgierig.
'Er zijn veel mensen in Suriname die op zoek
zijn naar hun voorouders', zegt Iwan.

'Heel veel mensen willen weten wie hun overgrootouders waren. Er zijn tegenwoordig allerlei websites met familienamen. Daar kun je zoeken. Soms staan er hele verhalen over een familie. Best leuk, hoor.'
'Heb jij wel eens op zo'n website gekeken?', vraagt Elise.
'Het was een opdracht van school', zegt Iwan.
'Ik weet hoe je moet zoeken. Ik kan je wel helpen.'

Elise kijkt hem stralend aan.
'Dat is echt een goed idee', zegt ze. 'Ik zeg tegen mijn moeder dat ik ook zo'n opdracht heb van school. En dat jij mij kunt helpen. Yes!'

Elise

Het witte huis aan de rivier ziet er vrolijk uit.
In de tuin hangen honderden kleine lampjes
tussen de bomen.
Bij de ingang en op het terras aan de rivier staan
vuurkorven.
En binnen in het huis is het nog vrolijker.
Daar staan tafels vol lekker eten. Surinaams eten
en Hollands eten.
Veel eten. Want er komen zeker wel zestig
gasten.
Elise wordt vijftien jaar. En dat betekent: bigi yari!

Elise heeft bijna iedereen uitgenodigd die ze kent
in Suriname.
Alle meisjes en jongens van haar klas, natuurlijk.
En andere jongens en meisjes, die ze vaak ziet op
feestjes.
Zelfs een paar leraren en leraressen hebben een
uitnodiging gekregen.
En de familie van Mila: Mila's vader en moeder
en Iwan.
En opa is er, uit Nederland!

En dan zijn er nog 'vreemde gasten'. Mensen uit Elises familie. Mensen, die niemand kende. Elises vader en moeder niet, Elises opa niet. Maar Elise wel! Ze heeft ze via internet gevonden.

Samen met Iwan heeft Elise haar stamboom gemaakt. Ze zijn naar het Landsarchief van Suriname geweest. Ze hebben honderden oude foto's bekeken. En tientallen verhalen gelezen. En na wekenlang zoeken was een stukje van de stamboom klaar. Elise weet nu dat oma Elise twee zussen had en twee broers. Dat de twee zussen naar Nederland zijn gegaan. En dat één broer jong is overleden.

Maar de andere broer van oma Elise bleek nog te leven en in Paramaribo te wonen. Elise heeft hem uitgenodigd voor haar verjaardag, mét zijn kinderen en kleinkinderen. Ze zijn allemaal gekomen, met z'n twaalven. Zo leuk!

Van de 'vreemde familie' heeft Elise een paar prachtige boeken gekregen. Boeken over het vroegere Suriname.

'Misschien staan jouw verre voorouders er wel in', zeiden de nieuwe ooms, tantes, neven en nichten tegen Elise. 'Dat kom je te weten als je verder terug gaat met de stamboom.'

Iwan

Iwan voelt zich erg blij. Misschien nog wel blijer dan de jarige Elise.
De afgelopen weken heeft hij bijna elke middag met Elise gewerkt aan de stamboom.
Ze zaten naast elkaar achter de computer in de werkkamer van Elises vader.
Ze hebben samen gezocht in de kasten van het Landsarchief.
Ze hebben naast elkaar in de studiezaal gezeten, om te kijken naar de vele foto's.
Soms raakten hun armen elkaar, per ongeluk.
En soms raakte Iwan Elises arm expres aan.
Dan voelde hij zijn hele lijf warm worden.

Maar meer is er niet gebeurd.
Hij zag haar bijna iedere dag, maar hij heeft Elise nog nooit gekust.
Hij heeft ook nooit aan Elise gevraagd of ze zijn vriendin wil zijn.
Hij durfde niet. Hij was bang dat Elise nee zou zeggen.
'Je moet haar gewoon vragen', heeft Mila gezegd.

'Ik weet dat ze het heel fijn vindt als je komt.
Ze praat altijd erg aardig over je. Laat haar weten
dat je verliefd op haar bent. Het enige wat er kan
gebeuren is dat ze nee zegt. En dat weet je dan.'
Ja precies, dacht Iwan. En dat wil ik dus niet
weten.

Maar voor vanavond heeft hij een plan.
Straks, om twaalf uur als Elise echt vijftien
wordt, dan geeft hij haar een cadeau.
Een ring die hij zelf gemaakt heeft.
Voor Elise van Iwan, staat erin.
En dan zal hij vragen of Elise zijn vriendin wil
zijn.
De ring zit in een klein doosje in zijn zak.
Af en toe raakt hij het even aan, terwijl hij naar
Elises huis loopt. Ja, straks, om twaalf uur ...
Als hij het maar durft ...

Blij loopt hij langs de Anton Dragtenweg.
Dan staat hij ineens stil. Daar, bij die grote
palmboom, staat een jongen. Een jongen die hij
goed kent. En die hij op dit moment echt niet wil
zien. Kenneth.

Kenneth

Kenneth heeft geen idee van de gevoelens van Iwan.
Hij steekt vrolijk zijn hand op.
'Iwan, mijn <u>matti</u>', zegt hij met een brede grijns.
'Hoe is het met je, man?'
'Goed', zegt Iwan.
Zijn blije gevoel is helemaal verdwenen.
'Ik ben vanmiddag teruggekomen uit Curaçao, man', zegt Kenneth. 'Gaaf daar, hoor. En veel mooie chickies!'
'Waarom ben je teruggekomen?', vraagt Iwan.
'Blijf je hier nu?'

Kenneth schudt zijn hoofd.
'Ik ben hier voor de kerst', zegt hij. 'Daarna ga ik weer terug. Moet van m'n vader. Maar waar ga jij naartoe?'
Kenneth kijkt Iwan onderzoekend aan.
O, gelukkig, hij weet niets van het verjaardagsfeest van Elise, denkt Iwan. En ik moet ervoor zorgen dat hij het ook niet te weten komt.

'Ik eh ... ik ga nergens naartoe. Ik loop maar een beetje', mompelt Iwan.
'Hè?', zegt Kenneth verbaasd. 'Dat is toch niks voor jou, man. Jij moet altijd zoveel doen. Klokken maken, helpen in de winkel. En nu ben je een beetje aan het chillen? Ben je eindelijk verstandig geworden?'
Lachend slaat hij Iwan op zijn schouder.
'Nou, dan gaan we met z'n tweeën chillen', zegt Kenneth. 'Dubbel zo gezellig.'

Samen lopen ze verder, in de richting van het centrum van Paramaribo.
'Hoe zit het met jou en Elise?', vraagt Iwan.
'Hebben jullie nog contact?'
'Ik heb haar wel geschreven', antwoordt Kenneth.
'En zij heeft mij geschreven. Maar het is toch anders, als je elkaar niet ziet.'
'Dus ze is jouw vriendin niet meer?', vraagt Iwan.
Hij begint zich weer een beetje blij te voelen.

Kenneth haalt zijn schouders op.
'Ach, ik weet het niet', zegt hij. 'Hé, check dat chickie, man', zegt hij dan enthousiast.

Hij knikt naar een meisje aan de overkant van de straat.

Het meisje lacht naar hem.

Ineens zegt Iwan: 'Ik zie je nog wel, man. Later. Bye, Kenneth.'

Weg holt Iwan. Terug langs de lange Anton Dragtenweg.

Naar het grote witte huis aan de rivier.

Elise

Langzaam doet Elise haar ogen open en kijkt op de klok.
Elf uur? Ze gaat rechtop in bed zitten.
O ja, vandaag hoeft ze niet naar school; het is zondag.
Het is de zondag na haar verjaardagsfeest.
Eigenlijk is ze vandaag pas echt jarig!
Ze gaat weer liggen met een lach om haar mond.
Wat was het een geweldig feest!
Zo veel vrolijke mensen, zo veel mooie cadeaus.
En één cadeau moet ze nog krijgen; het cadeau van Iwan.

Gisteravond, precies om twaalf uur, had hij haar gefeliciteerd.
'Lieve Elise, ik heb een verrassing voor je', had hij gezegd.
'O?', had Elise geantwoord. 'Waar is die verrassing dan?'
Iwan had lachend zijn hoofd geschud.
'Dat zeg ik niet', zei hij. 'Maar als je goed nadenkt, dan weet je het wel.'

Elise was teleurgesteld geweest.

'Zeg het nou', zei ze. 'Ik ben zo nieuwsgierig, Iwan. Toe?'

Ze had haar armen om zijn hals gedaan. En ze had hem heel lief aangekeken.
Maar Iwan had niets gezegd.
'Als ik je nou een zoen geef?', had Elise nog geprobeerd.
En meteen had ze een kus op zijn lippen gedrukt.
Iwan had diep gezucht, maar niets gezegd.
Wel had hij haar tegen zich aan getrokken.
En zijn hoofd op haar haren gelegd.

Weer kijkt Elise op de klok. Klok? Klok!
Ineens weet Elise waar haar verrassing is. En ze weet ook wat de verrassing is.
Ze springt uit bed en holt naar beneden.
Gauw gauw, naar de werkkamer van haar vader.
Want daar hangt de klok van opa.

Even later heeft ze haar cadeau gevonden.
Met een klein briefje erbij.

Lieve Elise, deze ring heb ik voor jou gemaakt.
Omdat ik van jou houd. Net zo veel als Kenny
van jouw oma hield. Lieve Elise, draag deze ring. Dan weet ik dat
jij ook van mij houdt.

Voorzichtig haalt Elise de ring uit het doosje.
Dan schuift ze hem aan haar vinger.
Ja, denkt ze. Ja, Iwan, ik houd ook van jou.

Kenneth

's Middags gaat het mobieltje van Elise.
Ze kijkt op het schermpje naar het nummer.
Kenneth?
Verbaasd en blij tegelijk drukt Elise op het
groene knopje.
'Met Elise', zegt ze.
'Ik heb een tuintje in mijn hart, maar alleen voor
jou ...', zingt een bekende stem.
'Kenneth!', roept Elise blij. 'Ben je weer terug?'
'Ja, mijn lief', zegt Kenneth met zijn mooie,
donkere stem.
'Ik ben weer hier. Om een lied voor jou te zingen.'
'Ja, zal wel', zegt Elise. Maar ze moet toch lachen.

'Ik ben nu bij 't Vat', zegt Kenneth. 'Kun je hier
naartoe komen? Dan zing ik mijn lied verder.'
Even aarzelt Elise. Haar ouders vinden het niet
goed; dat is zeker. Maar ja, ze wil Kenneth zo
graag zien ... 'Ik kom eraan, op de fiets', zegt ze.
'Ik ben er over twintig minuten.'
Tegen haar moeder roept ze: 'Mam, ik ga even op
mijn nieuwe fiets naar Peggy.'

En weg is ze.
Niet naar Peggy, maar naar 't Vat.

Onderweg moet ze goed uitkijken.
De weg is druk. En een fietspad is er niet.
Daarom was haar moeder ook niet zo blij
geweest, toen Elise een fiets wilde.
Maar Elise had volgehouden. En voor haar
verjaardag had ze toch een fiets gekregen.
Als ik hier de burgemeester was, liet ik overal
fietspaden maken, denkt Elise.

Ze gaat voorzichtig linksaf en fietst naar 't Vat toe.
Ze ziet Kenneth meteen. Hij staat aan de
stoeprand en zwaait naar haar.
'Kenneth', roept Elise. Ze steekt haar hand op en
stapt van haar fiets.
'Ik heb een tuintje in mijn hart, maar alleen voor
jou ...', zingt Kenneth weer.
De mensen die op het terras van 't Vat zitten,
kijken op.
Elise voelt dat haar wangen rood worden.
'Ssst', zegt ze tegen Kenneth, terwijl ze haar fiets
tegen een boom zet.

'Ik kan niet zonder jou misschien jij wel ...' zingt Kenneth verder.

Hij gaat op zijn knieën voor haar zitten.

Als het lied uit is, gaat hij weer staan en slaat zijn armen om haar heen.

Dan kust hij Elise op haar lippen.

De mensen op het terras klappen in hun handen.

Elise

Met een bonzend hart fietst Elise terug naar huis.
O Kenneth, denkt ze. Wat ben je toch leuk!
Ze kijkt even naar de ring aan haar vinger en zucht.
Ze dacht dat ze Kenneth vergeten was.
En dat ze verliefd was geworden op Iwan.
Maar dat was dus duidelijk niet zo!

Ik moet de ring afdoen, denkt ze.
Ik kan niet Iwans ring dragen en intussen verliefd zijn op Kenneth.
Dat kan niet. Dat mag niet.
Weer kijkt ze naar de mooie, eenvoudige ring.
Ik wil hem niet afdoen, denkt ze. Ik houd van die ring. Ik houd ook van Iwan. Echt wel. Maar Kenneth ... En dan gaat het mis. Omdat ze niet goed oplet. Ze rijdt door een diepe kuil en valt.

Als Elise weer bijkomt, ligt ze in een stoel.
Een dikke Surinaamse vrouw maakt haar gezicht schoon.

'Gaat het weer, gudu?', vraagt de vrouw vriendelijk. Elise knikt en gaat rechtop zitten.
'Weet je wat er gebeurd is?', vraagt de vrouw verder.
'Ja', zegt Elise. 'Ik ben gevallen, met mijn fiets. Toch?'
'Ja, vlak voor mijn deur', knikt de vrouw. Daar is een kuil. Je bent niet de eerste die daar gevallen is, gudu. Ik heb je vader al gebeld; hij komt je zo halen.'

Elise kijkt om zich heen.
Ze zit in een kleine kamer, die vol staat met meubels. En met foto's.
Er hangen foto's aan de muur, er staan foto's op tafel, er staan foto's op de kasten.
Eén foto herkent ze meteen.
'Ik ken die jongen', zegt ze tegen de vrouw.
Ze wijst naar een foto van een donkere jongen, die onder een palmboom staat.
Op de achtergrond zie je de Surinamerivier.

'Ach, dat is onze Kenneth', knikt de vrouw. 'Hij is de vriend van mijn dochter Nilda.

Op het moment is hij op Curaçao, om zijn vader te helpen in de bouw.'

Elise staat op en loopt naar de foto toe.

Op de foto staat geschreven: *Voor mijn liefste Nilda. Denk aan mij. Kenneth.*

Opa en Elise

Als Elise weer thuis is, stuurt ze een sms'je naar
Kenneth.

> *Je hebt te veel tuintjes in je hart, Kenneth.*
> *Geef mijn tuintje maar aan iemand anders.*
> *Elise*

Dan loopt ze naar het terras aan het water.
Ze gaat er zitten, met haar voeten in het water.
En met haar hoofd in haar handen.
Het was wel een heel stoer berichtje, maar ze is
er toch verdrietig van.

'Ben je zo naar gevallen, lieverd?', vraagt haar
opa.
Hij gaat naast Elise zitten, op een terrasstoel.
Elise kijkt naar haar opa en schudt haar hoofd.
'Het valt wel mee, opa', zegt ze. 'Ik ben verdrietig
om iets anders.'
'Aha', zegt haar opa. 'Liefdesverdriet?'
'Ja', zegt Elise somber. 'Dubbel liefdesverdriet.'

En dan vertelt ze van Kenneth, die ze niet mocht zien van haar vader.
En die ze vandaag toch weer ontmoet heeft.
Ze vertelt van het tuintje in zijn hart.
En van alle mensen die in hun handen klapten.
En ze vertelt van Iwan, die een echte vriend is.
Die een prachtige ring voor haar gemaakt heeft.
Die heeft gevraagd of ze zijn vriendin wil zijn.

'Ik schaam me zo, opa', zegt Elise. 'Stel je voor dat er iemand op dat terras zat die mij kent. En die Iwan kent.'
Opa glimlacht even. 'Dit is Paramaribo, Elise', zegt hij. 'Er zat zéker iemand op het terras die jou kent. En die Iwan kent. Waarschijnlijk weet Iwan nu al dat je Kenneth hebt gezoend. En niet stiekem, nee, midden op straat.'
Hij schudt zijn hoofd. 'Nergens wordt zo veel geroddeld als hier', zegt hij. 'Daar moet je altijd aan denken.'

'Wat moet ik doen, opa?', vraagt Elise.
'Als je vrienden wilt blijven met Iwan, moet je het eerlijk tegen hem zeggen', zegt hij.

Paramaribo, december 2009

Lieve Iwan,

Vanmorgen heb ik je prachtige ring gevonden.
Ik heb hem meteen omgedaan en ik heb hem
nog steeds om. Aan mijn linkerhand zit de
ring van oma Elise. En aan mijn rechterhand
zit jouw ring. Twee 'voor Elise'-ringen; één uit
het verleden en één van nu.

Eigenlijk zou ik het gelukkigste meisje van
de wereld moeten zijn. Maar dat ben ik niet
en dat is mijn eigen schuld. Vanmiddag
belde Kenneth mij op en ik ben naar hem
toegegaan. Ik dacht dat ik toch nog verliefd op
hem was. Ik heb hem gezoend, Iwan, en ook
nog midden op straat. Ik wist wel dat ik het
niet moest doen, maar het ging vanzelf.
Ik vond hem weer zo leuk ...

Later begreep ik dat ik dom ben geweest. Heel
dom. Later begreep ik pas dat jij degene bent
van wie ik echt houd ...

Iwan, het spijt me heel erg dat ik Kenneth heb gezoend. En ik begrijp het best als jij mij niet meer wilt. Mensen zullen over mij roddelen, over mij en Kenneth. Net zoals er werd geroddeld over mijn oma en haar Kenny. Mensen zullen tegen je zeggen dat je niet met mij moet omgaan. Omdat ik iets heb met Kenneth. Net zoals ze dat tegen mijn opa hebben gezegd. Omdat mijn oma iets had met haar Kenny. Omdat ze misschien wel zwanger van hem was. Of was geweest.

Mijn opa heeft zich niets aangetrokken van die roddels. Want hij hield van mijn oma. Mijn oma had hem eerlijk verteld wat er tussen haar en Kenny was gebeurd. Ik hoop dat jij je ook niets aantrekt van roddels over mij. En dat ik jouw ring mag blijven dragen.

Veel liefs van Elise

Iwan en Elise

Midden in de nacht wordt Elise wakker.
Ze gaat rechtop in haar bed zitten en kijkt om
zich heen.
Het is niet donker in haar kamer; het witte licht
van de maan schijnt door de ramen.
Waarom ben ik wakker geworden?, denkt ze.
Maar dan hoort ze het: getik tegen het raam.
Zou er iemand op het balkon staan?, denkt ze.
Ze rilt, terwijl ze uit bed stapt en naar het getik
toeloopt.
Maar er staat niemand op het balkon.
Wel liggen er een heleboel kleine steentjes;
kleine witte steentjes.
Elise is even verbaasd, maar dan moet ze lachen.
Iemand heeft haar wakker gemaakt door
steentjes tegen het raam te gooien.

Nieuwsgierig loopt ze het balkon op en dan ziet
ze het. Wel honderd waxinelichtjes staan in de
tuin, in de vorm van een hart. Een brandend hart
onder haar balkon. En middenin het hart staat
Iwan, met een handvol witte steentjes ...

140

Woordenlijst

Bakra
Bakra is een mild scheldwoord voor een blanke.

Bigi yari
In Suriname wordt elke vijfde verjaardag met een
groot feest gevierd.

Blauwgrond
Blauwgrond is een wijk in Paramaribo.
Er wonen veel Javanen. Dat zijn mensen van het
Indonesische eiland Java.

Boi
Boi betekent jongen in Suriname.

Dogla
Dogla betekent dat je voorouders uit
verschillende culturen hebt. Bijvoorbeeld creools,
Chinees, indiaans en Europees.

Gudu
Gudu betekent lieverd in Suriname.

Kraboe fisie
Kraboe fisie zijn levende krabben.

Mall
Een mall is een winkelcentrum.

Matti
Matti betekent vriend in Suriname.

Oase
Oase is een sportclub in Paramaribo. Je kunt er
tennissen en zwemmen.

Prasi oso
Een prasi oso is een huisje achterin de tuin.

Schooluniform
In Suriname dragen leerlingen op school een
schooluniform.

Waterkant
De Waterkant is een brede straat langs de
Surinamerivier.

REALITY REEKS:
Herkenbare, waargebeurde verhalen voor jongeren

www.eenvoudigcommuniceren.nl
www.lezenvooriedereen.be